# Modigliani Sculpteur

# Modigliani Sculpteur

TEXTE D'ALFRED WERNER

ADAPTATION FRANÇAISE DE FRANÇOISE
ET JURA BRÜSCHWEILER

 LES ÉDITIONS NAGEL

GENÈVE–PARIS–HAMBOURG–NEW YORK

# Avant-propos de l'éditeur

*«La sculpture a été sa passion majeure, sa vocation véritable» a pu dire d'Amédée Modigliani le directeur du Musée national d'art moderne à Paris, M. Bernard Dorival. Les intimes de l'artiste s'étaient bien rendu compte que son plus grand désir était d'être sculpteur plutôt que peintre. Cependant c'est le peintre qui est le plus connu du public.*

*Voici le premier ouvrage consacré à la sculpture de Modigliani. Les éditeurs espèrent qu'il familiarisera l'amateur d'art avec un aspect encore méconnu, mais sans doute très significatif, d'une œuvre qui a marqué de son empreinte l'art moderne tout entier. Rares sont les sculptures conservées de Modigliani. Toutes celles qu'il nous a été possible de repérer et de reproduire figurent dans ce volume. En outre, vingt-six dessins de cariatides, exécutés au crayon, à la gouache, à l'aquarelle ou au moyen*

5

de techniques mixtes, illustrent ce livre. Ils font partie des études conçues en vue de la grande série de cariatides que Modigliani rêvait de réaliser en ronde-bosse. Une seule de ces figures a été taillée dans la pierre, elle se trouve aujourd'hui au Musée d'art moderne à New York. Mais ces esquisses donnent une idée de la vision plastique de Modigliani. Elles permettent de suivre la démarche d'une imagination qui se plaît à varier les formulations d'un thème unique.

M. Alfred Werner a tenté de faire revivre dans toute son intensité l'art de Modigliani. Il retrace les étapes de sa vie mouvementée, situe l'œuvre plastique dans le cadre d'un effort global et fait ressortir les liens qui existent entre sa sculpture et sa peinture. L'essai de M. Werner met en lumière ce qu'on peut appeler le paradoxe de Modigliani sculpteur. N'est-il pas surprenant, en effet, de voir l'artiste vouer toute sa passion à la sculpture et ne pouvoir y consacrer, faute de moyens, que cinq ans de son existence, l'abandonner complètement par la suite, pour ne plus songer qu'à la peinture ? Les circonstances mêmes ont imprimé à la vie de Modigliani cette trajectoire discontinue; il s'agissait d'en montrer la signification pour rétablir l'unité fondamentale de son destin.

Les éditeurs tiennent à exprimer leur vive reconnaissance à tous ceux qui ont contribué à la réalisation de l'ouvrage, et tout d'abord aux collectionneurs particuliers comme aux institutions publiques qui les ont autorisés à reproduire les sculptures de Modigliani: M. Edgardo Acosta à Beverley Hills, Californie, U.S.A.; M. et M<sup>me</sup> James W. Alsdorf, Winnetka, Illinois, U.S.A.; M. et M<sup>me</sup> John Cowles, Minneapolis, Minnesota, U.S.A.; M. Jean Masurel, à Roubaix, France; M. et M<sup>me</sup> Chester Dale, New York, U.S.A.; M. et M<sup>me</sup> Deltcheff, Paris; M<sup>me</sup> Nelson Gutman, Baltimore, Maryland, U.S.A.; M. et M<sup>me</sup> Morton D. Mayx, Saint Louis, Missouri, U.S.A.; M. et M<sup>me</sup> Joseph Pulitzer Jr., Saint Louis, Missouri, U.S.A.; M. et M<sup>me</sup> Gustave Ring, Washington, D.C., U.S.A.; le Baltimore Museum of Art, Baltimore, Maryland, U.S.A.; la Fondation Barnes, Merion, Pennsylvanie, U.S.A.; le S.R. Guggenheim Museum, New York, U.S.A.; la Hanover Gallery, Londres; le Marion Koogler McNay Institute, San Antonio, Texas, U.S.A.; le Musée national d'art moderne, Paris; le Musée d'art moderne, New York; la Norton Gallery and School of Art, West Palm Beach, Floride, U.S.A.; le Musée des beaux-arts de Philadelphie, Pennsylvanie, U.S.A.; le Musée des beaux-arts de Seattle, Seattle, Washington, U.S.A.; et la Tate Gallery, Londres.

La documentation présentée dans ce volume est le fruit de nombreuses et souvent laborieuses recherches. Il suffit d'évoquer la somme de perspicacité et de patience qu'il a fallu déployer pour dépister seulement le lieu de dépôt de certaines pièces qui, en un demi-siècle, ont plus d'une fois changé de *propriétaire. Que tous ceux qui nous ont aidés dans cette tâche soient ici remerciés, et très particulièrement M. K.J. Hewett, Londres; les collaborateurs des Parke-Bernet Galleries; M. Henry Pearlman, New York; M. Herbert Singer, New York; M$^{lle}$ Erica Brausen, Hanover Gallery, Londres; M$^{lle}$ Adelyn D. Breeskin, Baltimore Museum of Art; M$^{me}$ Donna Butler et M$^{lle}$ Sally McLean, Guggenheim Museum, New York; M. Perry B. Cott, National Gallery of Art, Washington; M. Bernard Dorival, Musée national d'art moderne, Paris; M. Henry G. Gardiner, Musée des beaux-arts Philadelphie; M. F. Matarazzo Sobrinho, Musée d'art moderne, São Paulo, Brésil; M$^{lle}$ Pearl Moeller, Musée d'art moderne, New York; M$^{lle}$ Agnes Mongan, Fogg Art Museum, Université de Harvard, Cambridge, Massachussets, U.S.A.; M$^{lle}$ Gertrude Rosenthal, Baltimore Museum of Art; M. Peter Selz et M. Williard Tangen, Musée d'art moderne, New York; M$^{lle}$ Emily Hartwell Tupper, Musée de Seattle; M$^{lle}$ Katherine Waldram, Tate Gallery, Londres.*

*Notre gratitude s'adresse enfin à M$^{me}$ Jeanne Modigliani-Nechtschein, la fille du sculpteur, qui nous a prodigué d'indispensables conseils; à M. Marco Valsecchi, Milan, et M. Klaus G. Perls, New York, pour leurs renseignements autorisés concernant diverses œuvres de Modigliani et à M$^{lle}$ Zita Vlavianos qui s'est chargée de réunir les documents photographiques et a utilement coopéré à la présentation de ce livre.*

# Modigliani Sculpteur

En Italie, un article de loi relatif à la saisie pour dettes interdit aux huissiers d'emporter le lit dans lequel une femme vient d'accoucher. C'est grâce à cet article qu'Eugénie, épouse du commerçant en faillite Flaminio Modigliani, accoucha avec un minimum de confort de son quatrième enfant, Amédée («Bien-aimé de Dieu»). Les Modigliani, forcés par la pauvreté de quitter la maison où ils avaient vécu pendant plus de dix ans, dans un quartier élégant de Livourne, venaient de déménager dans un appartement minable quelques jours auparavant. Un tas d'objets qu'on avait empilés sur le lit pour les sauver de la confiscation, couvraient la mère et le bébé. Emmanuel, Marguerite et Humbert, âgés de douze, dix et six ans erraient à travers les chambres désertes; ils étaient assez grands pour comprendre le malheur qui accablait leurs parents.

De nombreuses légendes se sont créées sur l'existence du peintre; l'une d'entre elles veut qu'il ait grandi dans un milieu aisé; peut-être la contenance aristocratique dont il ne se départit jamais, même au milieu de la plus noire misère, y est-elle pour quelque chose. Quoiqu'on le prît toujours pour un Italien typique, Modigliani appartenait, comme Chagall et Soutine, à une vieille famille juive dont il reçut une bonne éducation en dépit des difficultés financières. Il ne pratiqua cependant guère la religion paternelle et la seule foi qu'on lui connût était placée en l'Art auquel il se consacra dès son adolescence.

Pendant la fièvre typhoïde qu'il eut à quatorze ans, son délire fut peuplé de tableaux qu'il n'avait encore jamais vus: ceux des Offices à Florence et du Palazzo Pitti; il suppliait qu'on lui permît d'aller les voir sur-le-champ. Ne sachant que faire pour le calmer, sa mère angoissée lui promit qu'après sa guérison elle l'emmènerait à Florence. Elle tint sa promesse.

Peu après ce voyage, Modigliani put, grâce à la générosité d'un parent, fréquenter l'école du meilleur professeur d'art de Livourne, le peintre Guglielmo Micheli et il travailla sous sa direction pendant deux ans. Micheli vécut de 1866 à 1926. Pour autant qu'on sache, il fut un bon maître et enseigna à Modigliani une technique plus solide que ce dernier ne voulait bien le reconnaître. Il appartenait à l'école la plus avancée d'Italie, celle des «Macchiaioli» (*macchia* veut dire tache de couleur), qui avaient découvert le plein air, les vieilles fermes, les chemins de la campagne et l'éclat du soleil sur la terre et sur l'eau. Leur technique cependant n'était pas à la hauteur de la fraîcheur nouvelle des sujets et leurs œuvres sentaient l'atmosphère confinée des académies.

Nous savons peu de ces deux années d'apprentissage. En 1900, Modigliani eut une première atteinte de tuberculose, maladie qui devait l'emporter quelque vingt ans plus tard. Il fut soigné dans une clinique de Livourne, mais les traitements n'étaient pas encore aussi perfectionnés qu'aujourd'hui et il ne se remit qu'imparfaitement. M^me Modigliani envoya son fils refaire sa santé sous le soleil du Sud, et le jeune homme, passionné d'art, saisit cette occasion pour visiter les musées et pour découvrir les maîtres anciens et modernes de l'Italie.

A son retour du Sud, Amédée passa, grâce à l'insistance de sa mère, l'examen d'entrée à l'Académie des beaux-arts de Florence. Mais, quoiqu'il vécût dans cette ville pendant deux ans, il ne fut pas très assidu aux cours de la célèbre institution. Il profita davantage de Venise où il passa le plus clair des trois années suivantes, séjours entrecoupés de visites à sa famille et surtout à sa mère qu'il chérissait. Une photographie datant de 1904, alors qu'il avait vingt ans, révèle un jeune homme particulièrement beau, respirant la santé, avec d'épais cheveux foncés, des yeux pensifs et une bouche aux plis rêveurs. Le peintre espagnol Ortiz de Zarate qui rencontra Modigliani à Venise, raconta qu'Amédée remportait de nombreux succès auprès des femmes et que sa peinture avait encore un caractère académique. Selon Umberto Brunelleschi, le jeune homme ne donnait pas l'impression d'avoir un talent exceptionnel.

Le seul témoignage direct que nous ayons de l'art et de la pensée de Modigliani avant 1906, date de son départ pour Paris, et se résume à cinq lettres qu'il écrivit du Sud de l'Italie à son ami Oscar Ghiglia en 1901. Elles sont intéressantes, car elles nous montrent que, malgré l'opinion de ses amis, les conceptions esthétiques et morales du jeune homme n'avaient rien de conventionnel ou d'académique. Aussi, quoiqu'il soit vain de se lancer dans le domaine des suppositions, paraît-il difficile de suivre Florent Fels lorsqu'il affirme que Modigliani ne serait jamais devenu un grand artiste moderne s'il n'avait pas quitté l'Italie\*.

En réalité, Paris ne fut pas plus la cause de son malheur que de son talent. Paris n'a fait que favoriser le développement d'un processus inévitable.

Modigliani rencontra Ghiglia dans le studio de Micheli et leur amitié se développa au cours des longues conversations qu'ils eurent en arpentant le bord de la mer près de Livourne; ils partagèrent ensuite la même chambre à Florence avant d'avoir chacun leur studio; puis, l'existence les sépara et leur amitié se défit avec le temps.

Ghiglia était un peu plus âgé que Modigliani et, sans être un artiste de grande valeur, il était doué d'une sensibilité réceptive qui convenait à l'enthousiasme d'Amédée. Les quelques lettres qui restent de leur vaste correspondance révèlent en Modigliani un admirateur de Baudelaire et de Nietzsche; malheureusement, elles parlent trop peu de peinture; Modigliani y critique son vieux maître Micheli, jugé trop conformiste: «Micheli? écrit-il, Dieu! qu'il y en a à Capri!... des régiments!» La conception que Modigliani se fait de l'existence n'est pas étrangère à celle de Nietzsche dans la mesure où il faut tout mettre en œuvre pour atteindre le but proposé, sans tenir compte des obstacles et même au prix de souffrances, afin de «sauver les rêves qu'en soi-même on nourrit».

---

\* «S'il était resté dans ce pays, berceau d'une seule civilisation éteinte depuis longtemps déjà, dans sa bien-aimée Italie, il aurait vécu une existence heureuse et produit l'œuvre d'un fantoche, sans courir de risques, ni connaître l'inquiétude qui s'empara de lui à Paris. Il se serait contenté de cultiver ce penchant pour le romantisme qu'il a mis tant d'énergie, ici, à arracher de son âme». Florent Fels, in: *Querschnitt*, Berlin, juillet 1926, pp. 524-525.

Il écrit à son ami: «Tiens pour sacré tout ce qui peut exalter et exciter ton intelligence. Essaie de provoquer et de mettre en œuvre ces stimulants féconds, car ils peuvent seuls pousser l'intelligence à son pouvoir créateur maximum».

Le jeune Modigliani ne tenait pas l'art pour une entreprise au succès de laquelle suffisait une sage application, mais plutôt pour un état de grâce, résultat d'une longue quête spirituelle. «Je suis le jouet d'énergies puissantes qui naissent et se transforment en moi-même». Il parle de l'état d'excitation qui précède la joie de la création et de la libération qui en découle: «Je suis riche maintenant et fertile, j'ai besoin de l'accomplissement». Et encore: «Cependant le moment viendra où je m'installerai, à Florence sans doute, pour y travailler, mais dans le vrai sens du terme, c'est-à-dire pour me consacrer avec foi (corps et âme) à l'organisation et au développement de toutes les impressions, de tous les germes d'idées que j'ai recueillis dans cette paix, comme en un jardin mystique». A l'égard de la Ville éternelle où il séjourna pendant sa convalescence, il tient le langage d'un amant: «Tandis que je te parle, Rome est non pas en dehors, mais en moi-même, pareil à un joyau terrible serti sur ses sept collines, semblables à sept idées impérieuses. Rome est l'orchestration dont je me ceins, la circonscription dans laquelle je m'isole pour y déposer ma pensée. Sa douceur fiévreuse, sa campagne tragique, la beauté et l'harmonie de ses traits; tout cela m'appartient, objet de ma pensée et de mon travail créateur.» Et plus loin: «J'essaie en outre de formuler avec le maximum de lucidité les vérités sur l'art et sur la vie que j'ai recueillies éparses dans les beautés de Rome».

Quoique de Zarate et Brunelleschi aient pu penser des premières œuvres du jeune peintre, ces propos n'étaient pas ceux d'un élève banal.

Dans une autre lettre, Amédée parle à Ghiglia des angoisses et des difficultés que ce dernier traverse: «C'est une évolution indispensable et qui n'a d'importance qu'en vertu du but auquel elle nous conduit. Crois-moi, seule une œuvre arrivée à la fin de sa gestation et qui a pris corps après avoir rejeté les entraves de tous les incidents particuliers qui ont contribué à la féconder et à la produire, seule cette œuvre vaut la peine d'être exprimée et traduite par le style. La raison d'être du style est qu'il détache l'idée de l'individu qui l'a produite et laisse la voie ouverte à ce qui ne peut, ni ne doit se dire; il est le seul langage capable d'extérioriser cette idée».

Dans la dernière de ses lettres de jeunesse, Modigliani fait de nouveau allusion aux peines de son ami qui sont aussi les siennes: «Affirme-toi et dépasse-toi sans cesse. Celui qui ne sait pas tirer de son énergie de nouveaux désirs et presque de nouveaux individus destinés à abattre continuellement pour s'affermir tout ce qui subsiste de vieux et de pourri, n'est pas un homme, c'est un bourgeois, un épicier, ce que tu voudras».

Quelques années plus tard, Modigliani aurait peut-être souri si on lui avait rapporté ces manifestations d'exubérance juvénile. Je doute fort cependant qu'il les eût reniées. Lui qui resta un idéaliste jusqu'à la fin de sa vie courte et agitée, il aurait maintenu ces mots écrits à l'âge de dix-sept ans: «La Beauté a elle aussi des devoirs douloureux, mais ils engendrent les plus nobles efforts de l'âme». Il était facile de prévoir que l'auteur de ces lettres trouverait bientôt la ville de Livourne trop étroite pour lui. A Venise, Ortiz lui avait abondamment parlé de Montmartre et des artistes qui y vivaient; aussi est-ce à Paris qu'il se rendit lorsqu'en 1906 il fut mûr pour le départ. Grâce aux subsides familiaux, il prit le train pour la France, accompagné des recommandations maternelles.

Dès qu'il arriva à Paris, Modigliani se rendit compte que l'exil ne suffisait pas à rompre avec son passé. Par une ironie du sort, le jeune homme qui avait tenu des propos si révolutionnaires dans sa correspondance était maintenant choqué par l'atmosphère de la capitale française. Il découvrit rapidement qu'il n'était après tout qu'un petit provincial, profondément mal à l'aise parmi les gens aux allures libres qui peuplaient la Butte Montmartre. Il changea sans grand succès son style vestimentaire: le costume de velours côtelé, l'écharpe rouge et le chapeau à large bord qu'il arbora lui donnaient plus l'air d'un bourgeois costumé que d'un artiste. Pour ne pas déroger à la coutume, il loua un atelier rue Caulaincourt, en plein centre du quartier où vivaient les artistes, et y installa un piano, des tentures, le masque mortuaire de Beethoven et des reproductions d'œuvres de la Renaissance italienne.

Au début, il resta sage et studieux; il écrivait régulièrement à sa mère et versait quelques larmes à la lecture des lettres qu'il recevait d'elle. Il fréquentait, rue de la Chaumière, la fameuse école Colazossi où il dessinait des nus d'après nature, cachant soigneusement son travail avec le bras, pour le soustraire aux regards des autres élèves. Il buvait peu, sauf du vin de son pays, n'avait aucun vice et tenait sa garçonnière en ordre. Sa timidité l'empêchait de discuter d'art avec des étrangers, mais lorsqu'il donnait son opinion sur un sujet, cette opinion manquait d'originalité. Un jour qu'il aperçut Picasso dans un café, Modigliani s'étonna de le voir porter des vêtements d'ouvrier assez malpropres: «Il se peut que Picasso ait du talent, remarqua-t-il, mais ce n'est pas une raison pour avoir l'air débraillé».

Cependant, avant qu'une année ne se fut écoulée, Modigliani avait rompu avec le passé. Un jour, un ami trouva son atelier complètement bouleversé; les reproductions avaient été reléguées dans un carton et leur propriétaire s'était mis à l'alcool et aux drogues. Et, chose importante, la transformation avait touché son art aussi. Nous ne connaissons pas les raisons qui firent de lui un «peintre maudit», pas plus que le moment où s'opéra la mutation. Le poète André Salmon en rendait responsable les vices auxquels son ami s'adonnait: «Le jour où il se laissa aller à certaines formes de débauche, une lumière inattendue apparut en lui et transforma son art. Dès ce moment, il prit place parmi les maîtres de l'art vivant». Un autre de ses biographes, Charles Douglas, rapporte les propos par lesquels André Utter, le mari de Suzanne Valadon et le beau-père d'Utrillo, a décrit la soudaine métamorphose de Modigliani: «Une nuit d'orgie, où l'on se livrait à l'alcool et au hashish chez Picard..., Modigliani poussa soudain un cri et attrapant un crayon et du papier, il se mit à dessiner fiévreusement en clamant qu'il avait découvert *la voie*. Lorsqu'il eût terminé, il brandit triomphalement une esquisse sur laquelle on pouvait voir la tête de femme perchée sur un col de cygne, qui l'a rendu célèbre».

Il est médicalement impossible de prétendre que l'alcool ou le hashish furent responsables du nouveau style de Modigliani; ils l'aidèrent peut-être à vaincre ses inhibitions et à progresser plus rapidement vers l'état de libération auquel il aspirait. Pour être capable de remodeler la réalité afin de la soumettre à sa vision d'artiste, il décida qu'il lui fallait mener l'existence qui lui apporterait le maximum de liberté. L'alcool, le hashish et les femmes lui permirent de se détacher à la fois de Livourne et de toutes les conventions qui s'y rattachaient. Il savait que sa famille et même sa mère ne comprendraient pas sa nouvelle manière de peindre.

Les Juifs de Livourne étaient sobres, buvaient peu, se mariaient jeunes et élevaient leur famille. Amédée, au contraire, s'enivrait en compagnie d'un certain Utrillo, peintre alcoolique que Flaminio Modigliani n'aurait jamais reçu chez lui. Il entretenait en outre de nombreuses relations avec des femmes pour le moins différentes de sa mère: modèles, serveuses, prostituées. Sa vie se résumait à une série de protestations: contre la coquetterie bourgeoise qu'affichait sa famille de banquiers ruinés, contre son vieux maître Micheli et contre une société qui ne voulait pas reconnaître son talent.

A propos de son besoin de s'affirmer, Picasso fit un jour cette remarque: «Utrillo, on le trouve soûl n'importe où... mais Modigliani, lui, s'arrange toujours pour être soûl devant la Rotonde ou le

Dôme», c'est-à-dire à l'endroit où le plus d'écrivains, de critiques ou d'artistes pouvaient l'apercevoir.

Il était porté aux extrêmes: au cours d'une réunion où il avait trop bu, il lui arrivait de se déshabiller entièrement. Le même désir violent de s'exprimer le poussait à dévoiler toujours une part de lui-même dans ses tableaux. Ce que ses contemporains prenaient pour de l'exhibitionnisme était en réalité un besoin forcené de trouver le visage de l'universel et de le graver à jamais.

Dans le roman de Michel Georges-Michel, *Les Montparnos*, Modrulleau alias Modigliani, dit à son infirmière qui lui refuse du cognac: «C'est pour travailler. Il faut comprendre. J'ai besoin de flamme pour peindre, de brûler, si tu veux! Ma concierge, le garçon boucher que l'on soigne à côté de moi n'ont pas besoin d'alcool, surtout si cela leur fait mal. Ils se doivent de se conserver leur précieuse vie... Mais moi, ma vie, elle ne compte qu'en raison de ce que je mets là-dessus...».

Le reste de l'histoire est trop connu pour qu'il soit nécessaire d'en redire les détails. Modigliani avait encore une douzaine d'années à vivre et, à l'exception de deux courts voyages en Italie, où sa famille essaya en vain de le remettre sur la bonne voie, il vécut à Paris, ruinant systématiquement sa santé et travaillant d'arrache-pied. Il fumait sans arrêt et, sous l'influence de l'alcool ou des drogues, tenait de longs discours aux patrons de bistrots interloqués. Un jour qu'il avait été arrêté au cours d'une rixe, il stupéfia les policiers en déclamant d'un ton passionné et dramatique tout un récital de poésies.

Il exerçait une véritable fascination sur les femmes. Malgré le peu qu'il leur apportait, elles se jetaient à sa tête et étaient trop heureuses de lui fournir tout ce dont il avait besoin: brosses, couleurs, toiles, alcool, drogues, accompagnés des plaisirs de l'amour. Il passait de l'une à l'autre et ne se mariait pas. Un jour pourtant il rencontra une jeune fille très belle et douce, «très gothique à voir» dit Lipchitz; elle s'attacha à ses pas. Ils eurent une fille, mais Modigliani, en route pour le bureau municipal où il allait faire enregistrer sa paternité, s'arrêta dans un café et oublia ses bonnes intentions. Combien de fois Jeanne ne le suivit-elle pas dans son café favori pour le persuader de rentrer à la maison avant qu'il ne tombe d'ivresse. Lorsqu'elle apprit sa mort, survenue le 25 janvier 1920 à l'Hôpital de la Charité, Jeanne Hébuterne se jeta par la fenêtre du cinquième étage de la maison où habitaient ses parents.

Moïse Kisling et Moricaud prirent le masque mortuaire de Modigliani avec l'aide du sculpteur Jacques Lipchitz; il reflète le calme et la sérénité que Modigliani n'avait jamais atteints pendant sa vie.

Le charme et l'esprit de Modigliani, qui ne l'abandonnaient jamais, même en pleine ivresse, lui valaient la sympathie de tout le monde. C'est ainsi que le poète d'origine polonaise, Léopold Zborowski devint son ami à une époque où chacun considérait le peintre comme un fou sans talent. Zborowski croyait fermement au génie de l'artiste italien et il incita tous les marchands et collectionneurs qu'il connaissait à venir voir les œuvres de son ami. Quelques toiles se vendirent à des prix ridiculement bas et malgré ses efforts, Modigliani resta dans la misère jusqu'à la fin de ses jours.

Zborowski vécut assez longtemps pour assister à la gloire posthume de son protégé. En 1922, soit deux ans après la mort de Modigliani, le Musée de Grenoble acheta un de ses tableaux, d'autres musées suivirent l'exemple. La même année, la galerie Bernheim-Jeune à Paris organisa une exposition rétrospective de sa peinture. Huit ans plus tard, une cinquantaine d'œuvres du peintre figurèrent à la Biennale de Venise, réparation tardive du manque d'intérêt témoigné à l'artiste pendant sa vie.

La peinture de Modigliani a des caractéristiques assez prononcées pour qu'un profane même puisse reconnaître ses portraits des personnalités qui hantèrent Montmartre et Montparnasse, ou ses nus à la fois chastes et sensuels. Pourtant, ce maniérisme n'explique pas la célébrité du peintre, ni les prix astronomiques qu'atteignent aujourd'hui ses toiles; il représente l'aspect extérieur du style que Modigliani inventa pour dégager la beauté universelle qu'il voyait sur un visage ou dans un corps. En comparaison de son existence désordonnée, il peut paraître surprenant que ses œuvres témoignent d'une précision aussi sobre, d'une telle fermeté dans la composition et le dessin. Si l'art n'était que la projection d'une vie, on pourrait s'attendre à ce que Modigliani couvrît ses toiles d'empâtements épais, dans une orgie de couleurs violentes, comme le faisait son camarade Soutine. Or son alcoolisme ne l'empêcha pas, au contraire, de donner corps à ses visions intérieures dans le style le plus épuré et le plus classique qui fût.

On n'a pas assez insisté, dans les nombreuses études qui sont consacrées à Modigliani, sur le côté purement spirituel de son art. La plupart des anecdotes qui circulent sur sa vie mettent en relief son comportement anticonventionnel plutôt que sa noblesse fondamentale ou l'humilité qu'il manifestait devant la vraie grandeur. Il existe deux anecdotes significatives sur ce dernier aspect de son caractère. L'une est tirée de l'excellent ouvrage publié par l'historien d'art Gotthard Jedlicka:

16

«Modigliani était un fervent admirateur de Cézanne — quoiqu'ils eussent des tempéraments fort différents et que seules une ou deux œuvres du début comme *Le Violoncelliste* ou *Le Mendiant de Livourne* rendissent témoignage d'une influence de l'aîné sur le cadet — et, chaque fois que le nom de Cézanne venait dans la conversation, le visage de Modigliani arborait une expression de respect. Il tirait de sa poche d'une geste grave une reproduction du *Jeune Homme au Gilet rouge* et le portait à ses lèvres pour l'embrasser». La seconde histoire est rapportée par Franco Russoli: «Modigliani s'était rendu chez un collectionneur qui lui avait commandé son portrait et là, il tomba en arrêt devant une peinture de Picasso: «C'est un grand peintre. Il a toujours dix ans d'avance sur nous». Il pria le propriétaire de laisser le tableau près de lui pendant qu'il peignait, pour stimuler son inspiration».

Plus significative que ses actes d'exhibitionnisme est la vision absolue de l'art qu'avait Modigliani. Il est l'un des peintres les plus représentatifs de l'école qui professe que l'art naît de l'art et non de l'observation de la nature. Il représente l'antithèse du naturalisme et son œuvre se rapprocherait plutôt de celle d'un Delacroix qui multipliait les avertissements contre l'imitation trop servile de la nature, ou d'un Degas selon lequel la réalisation d'un tableau demande autant de fourberie et de tromperie que l'accomplissement d'un crime.

Modigliani ne s'intéressait pas à la nature. Il n'a peint que deux ou trois paysages — si l'on peut appeler ainsi les images dures et sèches qu'il rapporta du Midi où il se rendit à la fin de sa vie — et jamais de natures mortes. Même dans ses portraits, on ne trouve pas de décor emprunté à la nature, mais un fond en aplat, de couleur aigue-marine, turquoise, verte, grise, brune. Les modèles ne lui servent que de point de départ, ses œuvres sont des peintures et non des tranches de vie.

Modigliani ne fut qu'un lointain précurseur de l'art abstrait, plus lointain encore que Brancusi qui conserva cependant jusqu'à la fin un objet matériel comme prétexte à son tableau. Sa place serait davantage parmi les puristes, dans la lignée qui conduit des Primitifs de sa native Toscane aux pré-Raphaélites et au courant antinaturaliste en plein épanouissement de nos jours.

Modigliani était un peintre puriste et abstrait par tempérament. Alors que les portraits à tendance décorative d'un Whistler laissent un peu froid, ceux de Modigliani sont vibrants de sympathie. Et pourtant lorsqu'on traite Modigliani d'expressionniste, un concert de protestations s'élève parmi ceux qui réservent cette épithète à la pâte épaisse d'un Van Gogh, à la sensibilité maladive d'un Schiele, aux violences d'un Soutine et d'un Kokoschka ou aux couleurs brutales d'un Nolde. Le classique Modigliani n'a, à première vue, rien de commun avec eux, lui qui imposa à ses matériaux psychologiques et formels une ascèse qu'on ne trouve chez aucun d'entre ses pairs. Cependant, l'expressionnisme ne caractérise-t-il pas une essence plutôt qu'une technique; les déformations que l'artiste fait subir aux formes et aux couleurs de la nature ne sont-elles pas que des moyens qu'il emploie pour exprimer sa vision intérieure et n'est-il pas maître de les utiliser suivant son inclination avec une sévère économie ou une généreuse spontanéité?

Paolo d'Ancona a défini l'expressionnisme comme «un effort, *indépendant de la manière*, pour se concentrer sur l'homme ou plutôt sur l'essence de l'homme», effort provoqué «par une affinité spontanée pour ce qui touche à l'humain» — vaste définition qui permettait au critique de ranger Modigliani et Pascin côte à côte avec Soutine et Chagall. Ceux qui font remonter l'expressionnisme au mouvement allemand *Die Brücke* devraient se rappeler la définition de Croce qui, dans son *Esthétique* publiée en 1902, met l'accent sur le rôle de l'*intuition*, avant même la naissance du groupe de Dresde.

Modigliani appartient à l'expressionnisme autant que Soutine, et un critique a même noté qu'en «faisant la part des formes brisées et distordues, des tourbillons de bleu de Prusse et de rouge brique, les personnages de Soutine étaient étroitement apparentés aux messieurs et dames en forme de quilles qu'avait enfantés Modigliani». L'œuvre de ce dernier est classique mais non pas froide, pensée, mûrie mais non pas intellectuelle. Si ce Juif aristocrate, projeté par un souffle capricieux de la destinée, de l'atelier presque impressionniste de son premier maître Micheli à travers les écoles traditionnelles de Florence et Venise dans le chaudron bouillonnant de la vie artistique parisienne, peut se rattacher à une école quelconque, c'est bien à l'expressionnisme. Quoiqu'il eût parfois employé dans ses premières toiles des couleurs chères aux Fauves, il n'était pas attiré par leur «bestialité» peu classique et si le cubisme trouve un écho lointain dans les formes stéréométriques auxquelles se ramène sa peinture, les adeptes de ce mouvement étaient trop calculateurs pour avoir prise sur l'esprit fervent du jeune Italien. Ce dernier avait aussi refusé de signer le *Manifeste futuriste* de 1909, car la glorification préfasciste de la guerre et du machinisme ainsi que la condamnation du nu et de l'art de Musée représentaient pour lui autant d'anathèmes.

Il est surprenant, presque miraculeux que Modigliani ait pu satisfaire aux exigences des puristes pour lesquels «un tableau est essentiellement une surface plane recouverte de couleurs en un certain ordre assemblées» (Maurice Denis), tout en conservant à ses toiles une richesse humaine et sociale toujours présente. C'est qu'il avait le don de réunir en lui les courants les plus divers pour en tirer un style entièrement personnel; cet éclectique, qui tenait à la fois de l'aristocrate, du socialiste et du sensualiste, alliait les secrets détenus par les artisans de la Côte d'Ivoire dont les statues nous troublent par leur perfection esthétique sans toutefois nous émouvoir, à ceux des peintres d'icônes byzantins ou renaissants, qui nous touchent profondément, sans entamer notre sérénité.

Le monde de Modigliani ne se livre pas au premier coup d'œil et un regard superficiel n'en saisit que les traits extérieurs: les visages semblables à des masques, les yeux en amande, les nez allongés en forme de spatule ou légèrement infléchis, les petites bouches froncées, tout cela dans des visages amincis à l'extrême et placés soit sur un col de cygne, soit directement sur les épaules, la disproportion savante entre la tête, le buste et les jambes, l'approche sculpturale du sujet malgré l'indifférence complète de l'artiste pour l'ombre et la lumière, enfin l'accord des couleurs intensément lumineuses et appliquées avec une précision qu'on ne trouve pas chez les expressionnistes reconnus. Pourtant, si le regard s'attarde sur une toile de Modigliani, son essence expressionniste saute aux yeux à travers la retenue et la noblesse des caractères un peu hautaines qui sont communes à tous les Toscans. Sous leur apparente ressemblance, les personnages de Modigliani sont loin d'être identiques; ses portraits de Lipchitz, Soutine, Rivera, ceux des femmes qu'il a côtoyées ou aimées, Béatrice Hastings et Jeanne Hébuterne, se différencient les uns des autres avec une subtile précision: l'inclinaison de la tête, l'angle du nez, le pli de la bouche sensible, fâché ou ironique, la pose des bras et des mains, et surtout les tons chauds ou froids, selon le caractère de ses modèles. Il peint des gens élégants ou débraillés, passionnés ou froids, intelligents ou stupides, et ses toiles ne se ressemblent pas davantage que des Chinois ou des Indiens entre eux, pour qui les regarde attentivement et cherche à percer l'écran que représente toute *stylisation*.

Les nus de Modigliani exercent une profonde attraction sur ceux qui peuvent sonder la somme de souffrances et d'amour que demande cette transfiguration du corps humain en poèmes chromatiques dans lesquels s'harmonisent les arabesques rouges et ocres des seins aux contours fermes et des membres graciles. Leur style peu conformiste choquait au début et, lors de l'exposition qui eut lieu à la galerie Berthe Weill, il fallut par ordre du commissaire, retirer des vitrines ces objets de scandale, quoiqu'ils ne fussent pas plus impudiques que les anatomies féminines d'un peintre académique comme Bouguereau. Aux Etats-Unis, les services postaux firent retirer de la vente les cartes postales que le Musée Guggenheim avait tirées du *Nu couché* et les protestations les plus violentes s'élevèrent à la parution d'un article que la revue *Life* avait consacré à Modigliani. Ces réactions prouvaient que l'œuvre du peintre italien contenait une vitalité qui, si elle était encore incomprise, n'en était pas moins révélatrice. L'absence d'hypocrisie qui caractérise les nus de Modigliani s'oppose foncièrement au masque de respectabilité sous lequel les académies de Bouguereau voilent mal leur impudeur. Comme l'écrit Sir Kenneth Clark dans son étude sur le nu: «Aucun nu, quelque stylisé qu'il soit, ne devrait manquer de susciter en celui qui le regarde, au moins l'ombre d'un sentiment érotique... Le contraire prouverait que la toile est mauvaise et les mœurs corrompues». L'œuvre de Modigliani exprime une grande compassion pour l'homme et la condition humaine et cependant jamais la sensibilité très vive du peintre ne se mue en sensiblerie. C'est le règne de l'équilibre, de la musique et d'une beauté sereine où perce une tendresse obsédante. Nous le sentons particulièrement dans les dessins dont le trait fin, d'une acuité qui ne trahit aucune hésitation, permet au spectateur de prolonger par l'imagination les formes tracées sur le papier.

Le mystère qui émane de ses portraits tient à la manière dont il traite les yeux, ces «fenêtres de l'âme»; parfois ils sont indiqués d'une simple fente bleue ou brune, parfois ils sont fermés, emprisonnant le regard pour favoriser la méditation. Peut-être le peintre avait-il le sentiment qu'il est aussi absurde de peindre un œil que de vouloir reproduire l'éclat du soleil; peut-être savait-il que sa fin approchait et avait-il déjà trouvé le sens de l'existence, lui qui, pendant son transfert à l'Hôpital de la Charité, dit à propos de Jeanne et de lui-même: «Nous savons que, quoiqu'il arrive, nous connaîtrons, elle et moi, un bonheur éternel». Peut-être enfin, la fente étroite de ces yeux représentait-elle la vision de la connaissance absolue vers laquelle tendait Modigliani?

J'ai dit en passant que Modigliani s'était aussi adonné à la sculpture. Dès 1926, Carl Einstein y fait allusion dans son livre *Die Kunst des 20. Jahrhunderts*. Cependant, la plupart des amateurs d'art connaissent mal cet aspect de son œuvre. Le peintre anglais Augustus John qui rendit visite à Modigliani dans son atelier de Montmartre en 1909, écrit dans son autobiographie, *Chiaroscuro*, que le sol «était couvert de statues qui se ressemblaient beaucoup entre elles par leur forme étonnamment mince et allongée». Il poursuit: «Ces têtes taillées dans la pierre m'impressionnèrent profondément; pendant des jours, après les avoir vues, j'étais hanté par l'impression de rencontrer continuellement dans la rue des gens qui auraient pu leur servir de modèle, — et sans que je fusse, moi aussi, sous l'influence du hashish. Se peut-il que Modigliani ait découvert un aspect nouveau, encore inconnu de la réalité?».

Pour ceux qui le connaissent, l'œuvre sculptée de Modigliani revêt une grande importance: l'artiste a inscrit dans la pierre le symbole esthétique d'un âge nouveau. Presque tous ses biographes ne consacrent que quelques pages à ses sculptures, pourtant tous reconnaissent sa maîtrise dans ce domaine. Il n'a jusqu'ici paru aucune étude approfondie de l'œuvre plastique de Modigliani et l'on n'en a pas davantage dressé l'inventaire. Vingt-cinq pièces sont aujourd'hui connues, et leur authenticité, sauf pour une ou deux, est établie.

Ce qu'on sait mal, c'est que le peintre italien aurait désespérément voulu être sculpteur et que si les circonstances ne l'avaient pas contraint à abandonner son rêve, nous aurions peut-être eu un artiste plus grand encore que Modigliani le peintre. Le marchand Adolphe Basler a écrit: «La sculpture était son seul idéal et il plaçait en elle de grands espoirs». Et Nina Hamnett, qui connaissait tout le monde dans le quartier des artistes: «Il a toujours considéré la sculpture comme son vrai métier et ce furent probablement la pénurie d'argent, la difficulté d'obtenir le matériel et le temps nécessaire pour achever une statue qui le ramenèrent à la peinture pendant les dernières années de sa vie».

Il existait au moins deux raisons encore pour expliquer ce choix. D'abord, la mauvaise santé de l'artiste rendait très nocif pour lui le travail de la pierre; l'inhalation constante de la poussière ne convenait pas à sa gorge et à ses poumons déjà atteints. A cela s'ajoutait la difficulté d'exposer et de vendre de telles œuvres; quoique Modigliani eût besoin de très peu pour subsister, la sculpture pouvait difficilement le lui procurer, alors qu'un dessin ou un portrait lui valait au moins un verre ou un repas de temps à autre.

Pour être conséquent, il faudrait placer Modigliani dans la catégorie des sculpteurs-peintres, mais ce renversement choquerait ceux qui ont pris l'habitude de considérer Modigliani avant tout comme un peintre. Dans le livre de Léon Gischia et Nicole Védrès: *La Sculpture en France depuis Rodin*, Modigliani apparaît dans le chapitre consacré à «La sculpture des peintres»; et Bernard Dorival, directeur du Musée national d'art moderne annonce, dans le *Bulletin des Musées de France*, l'acquisition d'une première sculpture de Modigliani par un article intitulé: «Sculpture de peintre». Au cours de son essai, il admet cependant que contrairement à Matisse, La Fresnaye ou Braque, la sculpture ne représentait pas pour l'artiste italien une activité secondaire, mais *«sa vocation même, l'art pour lequel il était né»*.

En 1951, l'exposition que la Galerie Curt Valentin de New York consacra à la «Sculpture de Peintres», présenta parmi les œuvres d'artistes allant de Géricault et Daumier jusqu'à André Masson et George L.K. Morris, quelques pièces de Modigliani. On put aussi voir ses œuvres à l'exposition organisée en 1958 dans la même ville par la Galerie Chalette, sous le même titre. A ces deux occasions, les artistes qui exposaient étaient des peintres pour lesquels la sculpture ne représentait qu'un exutoire secondaire, voire accidentel à leur énergie créatrice. Il est intéressant de noter que la plupart d'entre eux, tels Matisse, Renoir, Braque et Degas se bornaient généralement à travailler la terre ou la cire. Les peintres en effet préfèrent les matériaux tendres, car ils sont habitués à l'emploi de substances malléables plutôt qu'à la rigueur inhérente au maniement du ciseau et du marteau. Modigliani, au contraire, pratiquait la taille directe, méthode qui exige du temps et de la patience pour mener une œuvre à chef. Ce parti pris semble paradoxal lorsqu'on songe au caractère bouillant et emporté de l'artiste. Récemment, deux bronzes lui ont été attribués, ce qui laisserait supposer qu'il se livra aussi au modelage, mais force nous est de réserver notre jugement, car les plâtres qui auraient servi à couler les bronzes sont jusqu'à maintenant restés introuvables.

Comme la plupart des peintres de sa génération, Modigliani s'intéressait surtout à la figure humaine et il aurait pu reprendre à son compte les paroles de Matisse avec plus d'à-propos que leur auteur, qui peignit quantité de paysages et de natures mortes «Ce qui m'intéresse le plus n'est pas le paysage ou la nature morte, mais la figure humaine. Elle me permet mieux que n'importe quoi d'exprimer le sentiment presque religieux que j'éprouve devant la vie».

La chronologie de ses sculptures est incertaine malgré les récits d'amis, témoins de son travail. On a daté un bronze, coulé seulement après sa mort, de 1906 déjà. Or son authenticité n'est pas certaine; d'un autre côté, André Salmon avance la date, également improbable, de 1919 pour une de ses œuvres en pierre. Il semble que toutes ses sculptures ont été produites entre 1909 et 1914; le peu de toiles peintes pendant cette période renforce cette assertion: le catalogue de Pfannenstiel mentionne cinq huiles pour l'année 1910, trois pour 1911, aucune pour 1912 et deux pour 1913, alors que pour les deux années suivantes, on en connaît pas moins de quarante-quatre.

22

Le début de sa carrière de sculpteur est mal connu. Aux académies de Florence et de Venise, il ne s'inscrivit pas, pour autant qu'on sache, dans une classe de modelage. On ne sait pas davantage à quel point il fut impressionné par les sculptures qu'il vit dans les églises et les musées au cours de son voyage de convalescence en Italie, car il n'en parle pas dans ses lettres à Ghiglia. Par contre, De Zarate raconte qu'en 1902, Modigliani «avait l'ardent désir de devenir sculpteur et se plaignait du prix élevé auquel revenait le matériel nécessaire... Il peignait seulement faute de mieux; il voulait à tout prix travailler la pierre et ne cessa de le vouloir toute sa vie».

Jeanne Modigliani mentionne une lettre à Gino Romiti, dans laquelle son père parle de son activité de sculpteur à Pietra Santa près de Carrare. Dès son arrivée à Paris en 1906, il confia immédiatement à l'artiste russe Granowski son intention de créer des œuvres monumentales, comme celles de Michel-Ange et bien qu'il n'eût encore accompli aucune pièce importante, c'est comme sculpteur qu'il se présenta à André Utter.

Il n'est pas certain que Modigliani ait été vraiment attiré par le sculpteur gothique Tino di Camairo, comme le pensent Jeanne Modigliani et Enzo Carli, mais il est indéniable que les Primitifs toscans le marquèrent profondément, même si ses goûts le portaient plutôt à admirer un Domenico Morelli, auteur de peintures mélodramatiques, et à accrocher dans sa chambre des reproductions du Titien ou du Corrège.

Plusieurs étapes jalonnent le développement artistique de Modigliani; d'abord son admiration pour Toulouse-Lautrec, puis l'exposition commémorative de Cézanne au Salon d'automne de 1907 qui fut pour lui une révélation. Le jeune artiste connaissait en outre et appréciait le douanier Rousseau, et Pablo Picasso qui, seulement de trois ans son aîné, était déjà en passe de devenir un chef d'école. Il n'était pas non plus étranger aux Fauves, aux Cubistes, aux Futuristes, ni à l'art nègre et indochinois, bref à aucun des mouvements qui se manifestèrent à Paris dans le monde artistique en pleine effervescence de la première décade de notre siècle.

Rodin ne figura pas parmi ses idoles; Modigliani poussait l'injustice à son égard jusqu'à refuser d'admettre la beauté de ses premières œuvres; son mépris du modelage s'étendait aux bronzes — partie importante de la production de Rodin — car ces derniers exigeaient la fabrication préalable de modèles en terre ou en cire, procédés dont le peintre avait horreur. Il n'aimait pas non plus les marbres savonneux que le vieux sculpteur faisait, pour une bonne part, tailler par ses élèves. Il est difficile de dire si cette opinion a précédé la rencontre de Modigliani avec Brancusi en 1909 ou si elle prit corps au cours des longues conversations qu'il eût avec le Roumain. Nous savons seulement qu'avant ce moment déterminant, l'admiration du jeune Italien allait à la forte personnalité de Picasso; preuve en est ce propos tenu à Louis Latourette: «Ce n'est pas ça! C'est encore du Picasso, mais raté... Picasso enverrait un coup de pied dans cette monstruosité... J'ai à peu près tout détruit ce que tu as vu... Il faut savoir se juger sans indulgence sentimentale... Je n'ai gardé que deux ou trois dessins, aussi le torse qui t'a plu... Oh! Ce n'est d'ailleurs que pour le recommencer d'autre façon... Du reste, j'ai bien envie d'envoyer promener la peinture et de me mettre à la sculpture...»

Constantin Brancusi était né en Roumanie huit ans avant Modigliani; d'abord admirateur de Rodin, il se détourna ensuite du maître et refusa de devenir son assistant: «Rien ne croît sous les grands arbres!» Le style d'une pureté intransigeante qu'il cultiva alors suivait une direction opposée au modelé souple qui caractérisait l'art de Rodin. Puriste et intellectuel, Brancusi retranchait tout ce qui n'était pas indispensable à son propos et il contribua efficacement à régénérer la sculpture, réduite autour de 1900 à jouer le rôle de parent pauvre de la peinture. Il s'opposait en cela à Medardo Rosso dont l'art voulait faire oublier au spectateur de quoi il était fait; selon Rosso, il fallait regarder une statue comme un tableau, sans chercher à tourner autour d'elle.

Modigliani allait apprendre de Brancusi à rechercher la pureté de la matière, à tailler directement dans la pierre, à mettre l'accent sur l'essence des choses et non sur leur apparence extérieure. Brancusi était déjà l'auteur de la *Tête de Femme*, ovale parfait dans lequel sont gravées les lignes simples, presque abstraites des yeux, du nez, de la bouche; elle annonce la tendance moderne du portrait, visant à dépersonnaliser, à remplacer la vérité psychologique par la quête d'une vérité d'ordre plus général, située au-delà de l'individu.

Nombreux étaient alors les sculpteurs qui, à côté de Brancusi, cherchaient une voie nouvelle, mais parmi les Duchamp-Villon, Laurens, Nadelman, Archipenko, Lipchitz, seul ce dernier était véritablement l'ami de Modigliani, quoique leurs styles fussent très différents, tandis que Brancusi, plus âgé, remplissait plutôt le rôle d'un guide que d'un égal.

L'évolution de Modigliani, en passant par son admiration pour Toulouse-Lautrec puis pour Cézanne, l'avait inéluctablement conduit à la découverte qu'il fit dans l'atelier de Brancusi: la simplification jusqu'à l'extrême des formes plastiques. André Salmon nous fait de cette visite le récit suivant: «Modigliani vint à l'atelier de Brancusi les mains dans les poches de son éternel costume de velours, serrant sous son bras le portefeuille à dessins cartonné de bleu, qui ne le quittait jamais... Brancusi ne lui donna pas de conseils, ne lui fit pas la leçon, mais de ce jour, Modigliani se fit une idée de la géométrie dans l'espace bien différente que celle qu'on enseigne généralement dans les écoles ou dans les ateliers. Tenté par la sculpture, il s'y essaya et des impressions glanées à l'atelier de Brancusi, il conserva cet allongement de la figure reconnaissable également dans sa peinture».

En cette même année 1909, le critique allemand Ernst Stoermer alla voir Modigliani à son atelier de la rue Vaugirard: «Une force irrésistible le poussait à sculpter, raconte-t-il. Il se faisait apporter un bloc de grès à son atelier et sculptait en taille directe. Son travail l'accaparait alors aussi complètement que toutes les distractions plus ou moins fructueuses auxquelles il se livrait dans ses moments d'inactivité. Dès l'aube, on entendait le bruit de son ciseau. Les figures surgissaient de la pierre, sans qu'il eût besoin de faire un modèle en terre ou en plâtre. Il se sentait prédestiné à devenir sculpteur et, lorsqu'à certaines époques le besoin de sculpter le reprenait il rejetait brosses et pinceaux pour saisir le marteau».

Le récit le plus détaillé nous est donné par Adolphe Basler:

«Il semblait que Modigliani délaissait la peinture (en 1909). Il était hanté par la sculpture nègre et par l'art de Picasso. La galerie Druet exposait à cette époque les œuvres du sculpteur polonais Nadelman, sur le talent duquel l'attention de Gide et de Mirabeau fut attirée par les frères Natanson, fondateurs de la *Revue Blanche*. Les expériences de Nadelman dérangeaient Picasso; en fait, le système de décomposition de la sphère que le sculpteur appliquait dans ses dessins et ses statues précéda les recherches cubistes de l'Espagnol et Modigliani fut très frappé par son œuvre dont l'effet stimulant sur lui fut manifeste. Modigliani aimait les formes créées par la Grèce archaïque et la sculpture khmère que les artistes découvraient alors; toutes les traditions artistiques l'intéressaient quoiqu'il réservât toujours son admiration pour l'art raffiné de l'Extrême-Orient et les proportions simplifiées de la sculpture nègre.

«Pendant des années, Modigliani ne fit que dessiner, traçant les arabesques souples des innombrables cariatides qu'il avait l'intention de tailler dans la pierre et dont il soulignait légèrement les courbes de bleu ou de rose. Il obtint ainsi un dessin sûr et harmonieux, qui reflétait sa personnalité empreinte de charme et d'une grande fraîcheur de sensibilité. Un jour, il se mit à tirer de la pierre des figures et des têtes, travaillant en taille directe. Il mania le ciseau jusqu'en 1914 et le petit nombre de statues qui nous restent de lui ne donnent qu'un aperçu de ses vastes aspirations. Il voulait obtenir des formes dépouillées sans verser dans l'abstraction totale par excès de schématisation.»

D'autres sculpteurs rencontrèrent Modigliani par la suite, mais, tout en admirant son talent, ils étaient conscients de ses faiblesses; l'un d'entre eux fit sa connaissance lorsque l'artiste italien loua un atelier au numéro 216 du boulevard Raspail et il constata qu'il se contentait trop souvent d'ébaucher ses œuvres. Ses statues n'étaient «jamais terminées, comme s'il en avait honte...». Zadkin vit Modigliani travailler à des sculptures polychromes dont pas une ne subsiste. Il nota aussi que l'enthousiasme de son camarade baissait: «Petit à petit, le sculpteur se mourait en lui».

Un autre de ses amis, Jacob Epstein, tint des propos élogieux sur Modigliani à Arnold Haskell qui les rapporte dans *The Sculptor Speaks*:

«Modigliani est un autre exemple de peintre-sculpteur moderne. A un certain moment, il produisit quelques sculptures très intéressantes avec des visages fins et curieusement allongés, des nez en lame de rasoir qui se brisaient souvent et qu'il fallait recoller. Il achetait pour quelques francs à un maçon un bloc de pierre qu'il ramenait chez lui dans une brouette. Il avait une vision bien à lui, influencée mais non dominée par l'art nègre, et les gens qui le tiennent pour un imitateur se trompent. C'est sa peinture qui l'a rendu célèbre, mais il aurait aussi fait un excellent sculpteur, le plan et la conception de ses dessins en témoignent souvent».

Epstein parle encore de Modigliani dans son autobiographie, *Let There Be Sculpture*. Il raconte que son atelier, «un misérable trou donnant sur une cour intérieure», contenait neuf ou dix têtes et une statue en pied; «la nuit, il posait une bougie sur chacune d'elles et l'on se croyait ans un vieux temple. Dans le quartier circule une légende selon laquelle Modigliani embrassait ses statues lorsqu'il était sous l'influence du hashish». Une amie de Modigliani raconte aussi qu'ils soupèrent souvent à la lueur d'une bougie placée sur la tête qui figure maintenant à la Tate Gallery.

Voici encore le récit de Lipchitz: «Notre première rencontre se produisit lorsque Max Jacob nous présenta l'un à l'autre; Modigliani m'invita à venir le voir dans son atelier à la Cité Falguière. Pendant cette période, il s'adonnait à la sculpture et naturellement cela m'intéressait au plus haut point, de voir ce qu'il faisait. Quand j'arrivai chez lui, il travaillait dehors; plusieurs têtes en pierre — cinq peut-être — étaient posées sur le sol cimenté de la cour devant l'atelier. Il était en train de les réunir. Il me semble que je le vois encore: penché sur ces têtes, il m'expliquait que, dans son idée, elles devaient former un tout. Je crois me rappeler qu'elles furent exposées quelques mois plus tard, la même année, au Salon d'Automne, échelonnées comme des tuyaux d'orgues pour réaliser la musique qui chantait dans son esprit».

»Modigliani, ainsi que d'autres à ce moment-là, étaient persuadés que la sculpture était malade, qu'elle était tombée en décadence à cause de Rodin et de son influence. On pratiquait trop le modelage en terre, il y avait trop de «boue». La seule manière de sauver la sculpture était de se remettre à tailler directement la pierre. Nous eûmes de chaudes discussions à ce propos, car je ne pensais pour rien au monde que la sculpture fût malade, ni que la taille directe représentât en elle-même un remède. Mais il était impossible de faire changer d'avis à Modigliani, il restait solidement accroché à ses convictions. Il avait passablement vu Brancusi qui vivait dans le voisinage et il était sensible à son influence. Quand nous parlions des différentes sortes de pierre — dures ou tendres — Modigliani affirmait que l'espèce importait peu: il fallait donner par la sculpture une impression de dureté, ce qui dépendait du sculpteur; certains, en dépit de la pierre, donnent à leurs œuvres un aspect de mollesse, alors que d'autres, même en utilisant la pierre la plus tendre, communiquent à la matière qu'ils travaillent un air de fermeté. Sa propre sculpture montre d'ailleurs comment lui-même appliquait ces principes».

Et Lipchitz dit en outre: «Il ne pouvait jamais se départir de l'intérêt que lui inspiraient les gens, et il les peignait, sans le vouloir, pourrait-on dire, poussé par l'intensité de ses sentiments et de sa vision. C'est pourquoi, bien qu'il admirât l'art africain et les autres arts primitifs autant que nous tous, il ne subit jamais profondément leur influence, pas plus d'ailleurs qu'il ne subit celle du cubisme. Il leur emprunta quelques traits mais resta imperméable à leur esprit».

Lipchitz ne nous apprend rien sur le voyage en Italie pendant lequel Modigliani voulut s'installer à Carrare afin de poursuivre sa carrière de sculpteur. D'après des recherches récentes, ce voyage aurait eu lieu en 1912, donc avant que les deux artistes aient fait connaissance. Pfannenstiel, Douglas et Claude Roy se trompent en situant l'épisode de Carrare en 1909; Modigliani se rendit bien cette année-là auprès de sa famille, mais il ne fit alors que quelques toiles, toutes inconnues, à l'exception du *Mendiant de Livourne*.

L'événement raconté par Douglas, selon lequel Modigliani fut trouvé inanimé sur le plancher d'un atelier abandonné à Montmartre et envoyé pour se soigner dans sa famille grâce à la générosité de nombreux amis, se rapporte probablement à l'été 1912. C'est alors que le jeune frère de l'artiste,

Emmanuel, lui fournit la somme nécessaire à l'acquisition d'un studio près de Carrare; mais la chaleur, alliée à la difficulté de travailler le marbre, l'empêcha de réaliser son projet. On ignore le sort des œuvres qu'il créa pendant cette période dans sa ville natale; les a-t-il vraiment jetées dans un canal parce qu'un ami avait raillé l'inutilité d'une production invendable?... Sa fille Jeanne laisse planer le doute à ce sujet. Claude Roy, au contraire, affirme que Modigliani, dans un moment de désespoir, avait loué une charrette à bras pour aller noyer ses sculptures et, écrit-il, «on rêve que quelque archéologue sous-marin les ramène un jour, pour nous, à la lumière du soleil».

Modigliani revint à Paris où il se remit à travailler, ainsi qu'à mener une vie désordonnée. Il sculpta encore jusqu'à la première guerre mondiale, puis sa santé le contraignit à y renoncer et pendant les cinq années qui lui restaient à vivre, il se remit à peindre et nous donna la plus grande partie de son œuvre.

On ne connaît pas le nombre exact de ses sculptures. Les vingt-cinq qui ont été identifiées jusqu'à maintenant ne constituent qu'une fraction de sa production. L'artiste détruisait tout ce qui ne le satisfaisait pas; en outre, il abandonna plusieurs de ses œuvres entre les mains de propriétaires auxquels il ne pouvait payer des loyers arriérés. Une de ses cariatides, actuellement au Musée d'Art Moderne à New York, eut un curieux destin: sculptée dans un bloc trouvé au boulevard Montparnasse près d'une maison dont la construction avait été abandonnée au début de la guerre, cette statue fut brisée, puis réparée par Lipchitz à la demande de l'architecte Pierre Chareau, dans le jardin duquel elle se dressa jusqu'à 1939. Elle fut alors expédiée à San Francisco pour une exposition et demeura aux Etats-Unis jusqu'à la rétrospective consacrée à Modigliani en 1951 par le Musée d'Art Moderne qui l'acquit définitivement à cette occasion.

Les pièces qui existent encore sont de valeur inégale et vont de l'ébauche jusqu'à l'œuvre achevée. Elles sont généralement en calcaire et leur hauteur varie de 50 cm. pour les petites têtes jusqu'à 1,60 m. pour les figures en pied qui appartiennent à la collection Gustave Schindler à New York. Dix sculptures sont dans différents musées d'Angleterre, de France et des Etats-Unis, une douzaine figurent dans des collections particulières, françaises et américaines surtout. Une tête en marbre est la propriété de M. Jean Masurel de Roubaix.

La plupart des statues de Modigliani sont taillées dans une pierre calcaire provenant d'une petite ville située au sud de Verdun; c'est une matière d'aspect granuleux et qui n'atteint jamais le poli du marbre. Modigliani aimait travailler des blocs qui avaient la forme de colonnes; il se bornait à ciseler les traits principaux sans modifier la forme première de la pierre. Une fois, Modigliani se servit d'un morceau de bois, peut-être pour éviter la poussière désagréable que provoquait le travail de la pierre. On raconte que pour se procurer ce bois, il vola, avec l'aide d'un peintre de ses amis, des traverses de métro dans une station voisine. Douglas, qui a vu plusieurs de ces sculptures en bois, écrit qu'elles avaient toutes «les dimensions exactes de traverses de chemin de fer». Elles ont disparu à l'exception d'une seule, vendue aux enchères de 1951 et reproduite dans ce livre; il en est de même pour les sculptures polychromes dont parle Zadkin et peut-être pour les œuvres que mentionne Michel Georges-Michel dans son livre, *De Renoir à Picasso*: «Dans le jardin d'un industriel habitant la Riviera, j'ai vu quelques admirables statues de Modigliani et parmi elles, celle qu'il destinait au tombeau dans lequel il devait reposer avec sa femme...» L'existence de ces statues n'est confirmée par personne d'autre.

Un soir, Modigliani, selon son habitude, choisit une pierre près d'un bâtiment en construction où les ouvriers avaient fini le travail; il y travailla pendant des heures, rentra chez lui, laissant l'œuvre inachevée. Lorsqu'il revint, le lendemain matin, la pierre avait disparu, probablement utilisée dans la construction.

Il est difficile de déterminer la place de Modigliani dans la sculpture moderne. Il n'appartient pas au cubisme, ni au futurisme, ni à aucune des écoles qui proliféraient vers 1910. Il avait subi, comme nous l'avons vu, l'influence de Brancusi dont l'art résidait dans la sensualité des formes, le rythme des lignes et le rapport des volumes; cependant, il suivait sa propre voie. Alors que le premier délaissait peu à peu la figure pour rechercher son inspiration parmi les poissons et les oiseaux, Modigliani restait fidèle au motif humain et le suivait de plus près que son aîné.

L'influence la plus importante que Modigliani ait subie après celle de Brancusi fut incontestablement celle qu'exerça sur lui l'art de l'Afrique Noire. Jusqu'au début du siècle, seuls les ethnologues s'intéressaient à ce qui passait alors pour d'affreuses petites idoles. Vers 1905, les artistes commencèrent à tourner leur regard vers ces bois sculptés et ces bronzes dans lesquels ils entrevirent la solution de problèmes qu'ils se posaient alors. Tandis que Ludwig Kirchner faisait ses premières découvertes au Musée d'ethnologie de Dresde, Vlaminck achetait pour quelques sous une statuette, abandonnée par un marin probablement, dans un café parisien. Il la montra à son ami Derain: «Presque aussi beau que la *Vénus de Milo*, hein?» «C'est aussi beau!» fit rondement Derain. Ils l'apportèrent à Picasso qui affirma: «C'est pluss bô!».

Modigliani eut l'occasion de voir des objets d'art africain dans la boutique de Joseph Brummer et dans la collection du peintre Frank Burty-Haviland. D'après ses propres œuvres, il fut surtout impressionné par les sculptures de la Côte d'Ivoire, région hautement civilisée. Certains masques baules, avec leurs longs nez applatis dont la ligne rejoint celle des sourcils, et leurs yeux en forme d'amande, rappelaient les œuvres de l'artiste italien. Les uns et les autres présentaient la même fente étroite en guise de bouche et la même coiffure stylisée.

Cet art contenait les formes nouvelles, la sérénité et l'équilibre que Modigliani poursuivait sans cesse. Art statique dans lequel l'anecdote, le sentiment ou l'individualisme n'ont pas de place, mais auquel l'assemblage subtil des formes géométriques confère un indéniable mystère, empreint de grandeur et de majesté, qui n'est pas sans rappeler celui de la sculpture égyptienne ou grecque. Des artisans anonymes démontraient qu'une œuvre d'art pouvait naître à partir d'une inspiration conceptuelle plutôt que visuelle, tandis que nos artistes, encore hypnotisés par la réalité illusoire, ne comprenaient souvent pas la richesse inépuisable des données abstraites ou fixées par la tradition. De l'Afrique nous parvenait une leçon de perfection, atteinte aussi bien dans l'équilibre architectonique des masses que dans le rendu des surfaces.

Il importe peu de savoir si ces masques et ces statues, d'ordre généralement «utilitaire» puisque fabriqués pour des besoins magico-religieux sont des œuvres d'art, voulues comme telles, ainsi que l'affirmait Modigliani, ou des produits artisanaux dont la perfection est le résultat de longs tâtonnements. Les deux tendances coexistaient, car certaines tribus entretenaient de véritables artistes professionnels à côté de leurs fabricants de fétiches. Quoi qu'il en soit, l'art de l'Afrique Noire jouissait de conditions idéales pour produire des chefs-d'œuvre; comme tout art traditionnel, les sujets à représenter étaient limités et strictement codifiés, cela épargnait à l'artiste la peine de chercher un motif et lui permettait de concentrer toute son énergie créatrice, toute son habileté sur les problèmes de la réalisation technique, sans souci d'originalité ou de vérité naturaliste.

Ces caractéristiques allaient à la rencontre des préoccupations de Modigliani; il était donc normal que l'aspect formel de son œuvre subît l'influence de ce courant artistique dont les origines remontaient loin dans le temps. Cependant, il serait faux de croire que Modigliani se contenta d'imiter la sculpture africaine, sous prétexte qu'elle offrait une solution toute faite aux problèmes de l'art contemporain. Elle lui servit plutôt d'excitant et enrichit sa vision intérieure, comme les estampes d'Hokusaï l'avaient fait pour Manet quelques décades auparavant. Robert J. Goldwater exprime avec pertinence ce qui fait l'originalité de l'œuvre de Modigliani, malgré les apparences: «Quoiqu'il maintienne, contrairement à Picasso, le cou allongé, il l'incurve en même temps qu'il incline la tête afin de prolonger la ligne arrondie des épaules; l'alignement des yeux ovales est rompu, la longue arrête du nez adopte une courbe légèrement concave. Avec ses formes plates, Modigliani ne cherche jamais à produire l'effet de volume dans lequel on se plaît à voir l'apport principal de l'art nègre et même le rythme harmonieux de ses formes n'a rien de commun avec la répétition de motifs identiques, qui caractérise la sculpture africaine. Enfin, la grâce et la fragilité que confère aux personnages de Modigliani l'élongation systématique des formes, s'oppose absolument aux volumes épais généralement employés par les artistes noirs».

D'une manière générale, comme le dit encore James Johnson Sweeney, ces emprunts «semblent aujourd'hui représenter plutôt des tentatives d'interprétation ou l'expression de visions critiques, qu'une complète assimilation. Lorsque nous rencontrons dans l'art contemporain un trait qui semble directement emprunté au style africain, nous découvrons presque toujours, après un examen plus approfondi, qu'on peut tout aussi bien l'attribuer à une source d'influences plus rapprochée».

S'il est hors de doute que l'Afrique Noire et Brancusi donnèrent une impulsion décisive à l'art de Modigliani, on peut cependant distinguer dans ses œuvres d'autres traits de parenté: R.S. Wilenski voit dans la tête exposée à la Tate Gallery des réminiscences de la statuaire médiévale à tendance byzantine ainsi que celle des Tang. Pour Bernard Dorival, la tête acquise par le Musée d'Art Moderne peut se comparer à certains Bouddhas d'Extrême-Orient aussi bien qu'aux sculptures de la Porte royale de la cathédrale de Chartres. On y trouve la spiritualité d'un Greco alliée au maniérisme de certains artistes toscans de la Renaissance.

Ces innombrables rapprochements ne prouvent rien, mais rappellent, une fois de plus, qu'un art classique, quelle que soit sa provenance, est conditionné bien davantage par la ferveur des sentiments et le respect des matériaux employés que par la restitution fidèle des apparences. Il ne faut pas oublier non plus que Modigliani était né à Livourne qu'il était le compatriote de Duccio, d'Andrea del Castagno et de Sandro Botticelli, enfin que toute sa jeunesse s'écoula parmi les œuvres de l'antiquité gréco-romaine et de la Renaissance italienne. Aussi est-ce en lui-même qu'il trouvait une des sources d'inspiration que les artistes de son époque allaient chercher très loin dans l'espace et dans le temps. A travers Rome, il était le fils de la Grèce archaïque, plus préoccupée de beauté pure que de naturalisme. Comme les sculpteurs grecs et avant eux les Egyptiens, l'artiste italien sentait le lien étroit qui unissait la sculpture et l'architecture. Alors qu'au XIXᵉ siècle on concevait la sculpture pour elle-même, comme un objet d'ornement plus ou moins indépendant de son entourage, les œuvres de Modigliani, au contraire, possèdent la vigueur des sculptures qui appartenaient aux monuments de l'architecture antique. D'ailleurs, que ses statues soient ou non conçues en fonction d'un ensemble architectural, elles restent liées à la matière dans laquelle l'artiste les a taillées et ne s'en dégagent jamais complètement, comme nous le montrent les fragments non travaillés qui subsistent souvent au-dessus et au-dessous de ses sculptures. La tête de la Tate Gallery était autrefois désignée sous le nom de *Tête pour le sommet d'un montant de porte*, parce que, disait-on, elle avait été faite pour supporter le linteau d'une porte. Les statues de Modigliani rappellent celles qui figuraient dans la construction massive des temples égéens, surtout la lourde silhouette de femme appartenant à M. Gustave Schindler ou la cariatide. Le sculpteur rêvait de faire un grand nombre de ces cariatides de pierre qu'il appelait «colonnes de tendresse»; elles auraient encadré son *Temple de la Beauté*. Malheureusement, à part l'unique pièce connue qui se trouve au Musée d'Art Moderne de New York, nous n'avons d'elles que des esquisses: crayons, aquarelles, gouaches, dessins à la plume. Leur style est très différent de celui que Modigliani applique à ses portraits; les figures, vues de face, sont généralement conçues pour occuper un espace déterminé, comme une niche; le dessin ne se borne pas à indiquer les contours, mais suggère la rondeur des formes, créant un espace à trois dimensions; enfin les visages ne reflètent aucune individualité psychologique, comme c'est le cas dans ses portraits, mais ils portent l'empreinte d'un anonymat serein, approprié à leur destination.

Dans la Grèce classique aussi bien qu'à la Renaissance, les cariatides jouent le rôle de piliers et représentent pour cette raison des figures en pied. On raconte qu'Aristide Maillol fut tellement enthousiasmé lorsqu'il vit celles de l'Erechthéion d'Athènes, que les gardiens eurent toutes les peines du monde à l'empêcher de grimper sur elles pour les embrasser. Contrairement à leurs ancêtres, les cariatides de Modigliani ne sont pas debout, mais en position accroupie, les yeux fixés au sol, les bras repliés au-dessus de la tête comme pour supporter un fardeau. Selon l'Américain Frederick S. Wight, ces figures symboliseraient l'image de la mère de Modigliani soutenant son fils à bout de bras.

Modigliani peignit encore plus de deux cents toiles après qu'il eut abandonné la sculpture. Elles portent les marques de la leçon qu'il a apprise pendant ces années vouées à la taille de la pierre.

La solidité de la construction et la vigueur des formes frappent l'observateur le moins averti et l'on ne peut s'empêcher de songer à la lettre célèbre de son compatriote Michel-Ange, dans laquelle ce dernier écrivit: «La peinture me semble d'autant meilleure qu'elle accentue davantage le relief, et la sculpture d'autant plus mauvaise qu'elle se rapproche de la peinture... j'entends par sculpture, ce qui se fait en relief, par peinture, ce qui se fait en surface». Force nous est de constater que l'auteur de ces définitions fut moins conséquent avec lui-même que ne le fut son compatriote moderne; alors qu'il accentua au plus haut point l'effet du relief dans sa peinture, il composa certaines de ses sculptures selon une conception presque picturale. Modigliani, lui, ne perdit jamais de vue le rôle important du volume, et ses sculptures aussi bien que ses toiles représentent des étapes dans la recherche d'expression plastique qu'il poursuivit à travers toute son œuvre.

Si ce livre permet aux amateurs d'art d'aborder un aspect moins connu de l'œuvre de Modigliani, qui fut selon les témoignages la passion dominante de sa vie, s'il incite quelques-uns de ses admirateurs à mieux regarder ces images, symboles nostalgiques d'un autre monde qu'il fit naître de la pierre avec une étonnante économie de moyens, le but de l'auteur et de tous ceux qui l'ont aidé dans ce travail est atteint, et ce livre n'aura pas été écrit en vain.

# Bibliographie sommaire

Adam Léonard, *Primitive Art*, London 1949.

Basler, Adolphe, *La Sculpture moderne*, Paris 1928. *Modigliani*, Paris 1931.

Carco, Francis, *Le Nu dans la Peinture moderne*, Paris 1924. *De Montmartre au Quartier Latin*, Paris 1927.

Clark, Kenneth, *The Nude. A Study of ideal Art*, London 1956.

Dale, Maud, *Modigliani*, New York 1929.

D'Ancona, Paolo, *Modigliani, Chagall, Soutine, Pascin. Aspetti dell'Espressionismo*, Milan 1952.

Dorival, Bernard, *Musée d'art moderne — Sculptures de peintres*, in: «Bulletin des Musées de France», Paris, décembre 1949.
*Trois œuvres de Modigliani*, in: *ibidem*, Paris, septembre 1950.

Douglas, Charles, *Artist Quarter*, London 1941.

Fels, Florent, *Modigliani*, in: «Querschnitt», Berlin, juillet 1926.

Flannaghan, John B., Catalogue du Musée d'Art Moderne, New York 1942.

Georges-Michel, Michel, *Les Montparnos, roman de la Bohème cosmopolite*, Paris 1923.

Giedion-Welcker, Carola, *Contemporary Sculpture*, revised and enlarged edition, New York 1960.

Gischia, Léon et Védrès, Nicole, *La Sculpture en France depuis Rodin*, Paris 1945.

Goldwater, Robert J., *Primitivism in Modern Art*, New York 1938.

Jedlicka, Gotthard, *Modigliani*, Erlenbach-Zurich 1953.

Leuzinger, Elsy, *Africa: The Art of the Negro Peoples*, New York 1961.

Lipchitz, Jacques, *Amedeo Modigliani*, New York, Paris, Londres, Milan 1952.

Meidner, Ludwig, *Young Modigliani*, in: «Burlington Magazine», London April 1942.

Modigliani, Amédée, Lettres à Ghiglia, textes italien et français publiés par Ambrogio Ceroni, in: *Amedeo Modigliani, peintre*, Milan 1958.

Modigliani, Jeanne, *Modigliani sans légende*, Paris 1961.

*Paris-Montparnasse*, numéro consacré à Amédée Modigliani (articles de Salmon, Lascano Tégui, Ramon Gomez de la Serna, Zadkine, Kisling, Zborowski, etc.), Paris, février 1930.

Pfannstiel, Arthur, *Modigliani*, préface de Louis Latourette, Paris 1929. *Modigliani et son œuvre*, étude critique et catalogue raisonné, Paris 1956. *Modigliani, dessins*, Lausanne 1958.

*Omaggio a Modigliani (1884–1920)*, publié par G. Scheiwiller, textes de Modigliani, Maurice Barraud, Braque, Carco, Cendrars, Chirico, Cocteau, Derain, Fels, Friesz, W. George, P. Guillaume, M. Jacob, Kisling, Lipchitz, Montale, Salmon, Segonzac, Severini, Soutine, Vlaminck, Zborowski, etc., Milan, janvier 1930.

Raynal, Maurice, *Modigliani*, Genève, Paris, New York 1951.

Roy, Claude, *Modigliani*, Genève 1958.

Russoli, Franco, *Modigliani*, Paris 1958.

Salmon, André, *Modigliani, sa vie, son œuvre*, Paris 1926.

Scheiwiller, Giovanni, *Amedeo Modigliani*, Zurich 1958.

*Sculpture by Painters*, catalogue de la Galerie Curt Valentin, New York 1951.

Seuphor, Michel, *The Sculpture of this Century*, New York 1960.

Stoerner, Curt, *Erinnerungen an Modigliani*, in «Querschnitt», Berlin, Juni 1931.

Sweeney, James Johnson, *African Negro Art*, New York 1935.

Vitali, Lamberto, éd., *Forty-five Drawings by Modigliani*, New York, sans date.

Werner, Alfred, *Modigliani as a Sculptor*, in: «Art Journal», New York 1960–1961.

Wilenski, Reginald H., *The Meaning of Modern Sculpture*, London 1935.

# Table des illustrations

Alors qu'on peut dater avec un minimum de certitude les toiles de Modigliani, il est impossible d'établir une chronologie sûre de ses sculptures et de ses dessins. Nous savons seulement que les premières furent produites entre 1909 et 1915. Modigliani ne datait pas ses œuvres et n'en parlait pas dans ses lettres. Quoique des marchands et des amis de l'artiste aient parfois avancé des dates, il n'en est pas fait mention ici faute de documents. Dans de nombreux cas, les critiques ont proposé des dates différentes pour la même œuvre. Les dimensions sont indiquées chaque fois qu'il a été possible de les obtenir.

48 Tête de femme, de face. Pierre. Hauteur: 66 cm. Collection Louise et Joseph Pulitzer, Jr., St. Louis, Missouri, U.S.A.

49 Idem, de profil.

50 Idem, de trois-quarts.

51 Tête de femme, de face. Pierre. Propriétaire inconnu. (D'après une reproduction publiée dans «Avant-Garde Painting and Sculpture (1890–1955) in Italy» par Raffaele Carrieri, Milan, Istituto Editoriale Domus, édition anglaise.)

52 Tête de femme, de face. Pierre. Hauteur: 66 cm. Collection M. et M^me John Cowles, Minneapolis, Minnesota, U.S.A.

53 Idem, de trois-quarts.

54 Tête, de face. Pierre. Hauteur: 51 cm. Collection particulière, Paris.

55 Idem, de trois-quarts.

56 Etude de tête pour une sculpture. Crayon bleu. 26×20 cm. Perls Galleries, New York.

57 Etude de tête. Mine de plomb et fusain. 26×18 cm. The Hanover Gallery, Londres.

58 Etude de tête pour une sculpture. Crayon noir. 41×25 cm. Collection Sidney F. Biddle, Philadelphie, U.S.A.

59 Etude de tête pour une sculpture. Plume. 25×20 cm. Perls Galleries, New York.

60 Etude pour une cariatide. Mine de plomb, plume et pastel sur papier. 42×26 cm. Collection Marion Koogler McNay Art Institute, San Antonio, Texas, U.S.A.

61 Etude pour une cariatide. Crayon sur papier. 25×20 cm. Collection M. et M^me James W. Alsdorf, Winnetka, Illinois, U.S.A.

62 Etude pour une cariatide. Crayon bleu. 71×58 cm. Musée des Beaux-Arts, Philadelphie, U.S.A.

63 Etude pour une cariatide. Encre et crayon bleu. 25×20 cm. Perls Galleries, New York.

64 Etude pour une cariatide. Mine de plomb et fusain sur papier. 53×43 cm. The Tate Gallery, Londres.

65 Cariatide bleue. Crayon bleu. 53×41 cm. Collection M^me Sydney G. Biddle, Philadelphie, U.S.A.

66 Etude pour une cariatide. Mine de plomb aquarellée. 83×43 cm. Perls Galleries, New York.

67 Etude pour une cariatide. Crayon aquarellé. 56×46 cm. Parke-Bernet Galleries, New York.

68 Etude pour une cariatide. Crayon sur papier. 30×25 cm. Parke-Bernet Galleries, New York.

69 Etude pour une cariatide. Crayon bleu. 71×58 cm. Musée des Beaux-Arts, Philadelphie, U.S.A.

70 Etude pour une cariatide. Crayon bleu. 61×46 cm. Musée des Beaux-Arts, Philadelphie, U.S.A., collection Louise et Walter Arensberg.

71 Etude pour une cariatide. Encre et gouache. 56×43 cm. Perls Galleries, New York.

72 Nu accroupi, étude. Mine de plomb, crayon Conté et fusain. 53×43 cm. Musée des Beaux-Arts, Baltimore U.S.A., collection Cone.

73 Etude pour une cariatide. Aquarelle. 53×43 cm. Perls Galleries, New York.

74 Etude pour une cariatide rose. Aquarelle. 53×42 cm. Collection Francis Biddle, Washington D.C., U.S.A.

75 Etude pour une cariatide. Crayon et gouache sur papier. 58×43 cm. Norton Gallery and School of Art, West Palm Beach, Florida, U.S.A.

76 Etude pour une cariatide rose sur fond noir. Gouache. 58×41 cm. Collection M^me Sydney G. Biddle, Philadelphie, U.S.A.

77 Etude pour une cariatide sur fond violet. Gouache 34×49 cm. Perls Galleries, New York.

78 Etude pour une cariatide sur fond bleu. Crayon et gouache. 51×36 cm. Collection M^me Sydney G. Biddle, Philadelphie, U.S.A.

79 Etude pour une cariatide. Encre. 23×19 cm. Perls Galleries, New York.

80 Etude pour une cariatide. Gouache. 75×42 cm. Perls Galleries, New York.

81 Etude pour une cariatide. Aquarelle et pastel. 77×43 cm. Perls Galleries, New York.

82 Etude pour une cariatide rose. Aquarelle. 55×44 cm. Edgardo Acosta Gallery, Beverley Hills, Californie.

83 Etude pour une cariatide. Crayon. 42×24 cm. Collection M. et M^me James W. Alsdorf, Winnetka, Illinois, U.S.A.

84 Etude pour une cariatide. Mine de plomb et crayon de couleur. 56×46 cm. Collection M^me Nelson Gutman, Baltimore, Maryland, U.S.A.

85 Cariatide. Huile sur toile. 60×55 cm. Musée National d'Art Moderne, Paris.

86 Deux têtes, photographiées chez Cardoso en 1911.

87 Deux têtes, photographiées chez Cardoso en 1911.

L'IMPRESSION ET LA RELIURE DU PRÉSENT OUVRAGE ONT ÉTÉ RÉALISÉES, EN JUILLET 1962, DANS LES ATELIERS DES ÉDITIONS NAGEL A GENÈVE (SUISSE)
LES PLANCHES ONT ÉTÉ IMPRIMÉES AUX ÉTATS-UNIS D'AMÉRIQUE
DÉPÔT LÉGAL No 315   IMPRIMÉ EN SUISSE

1

6

9

10

14

24

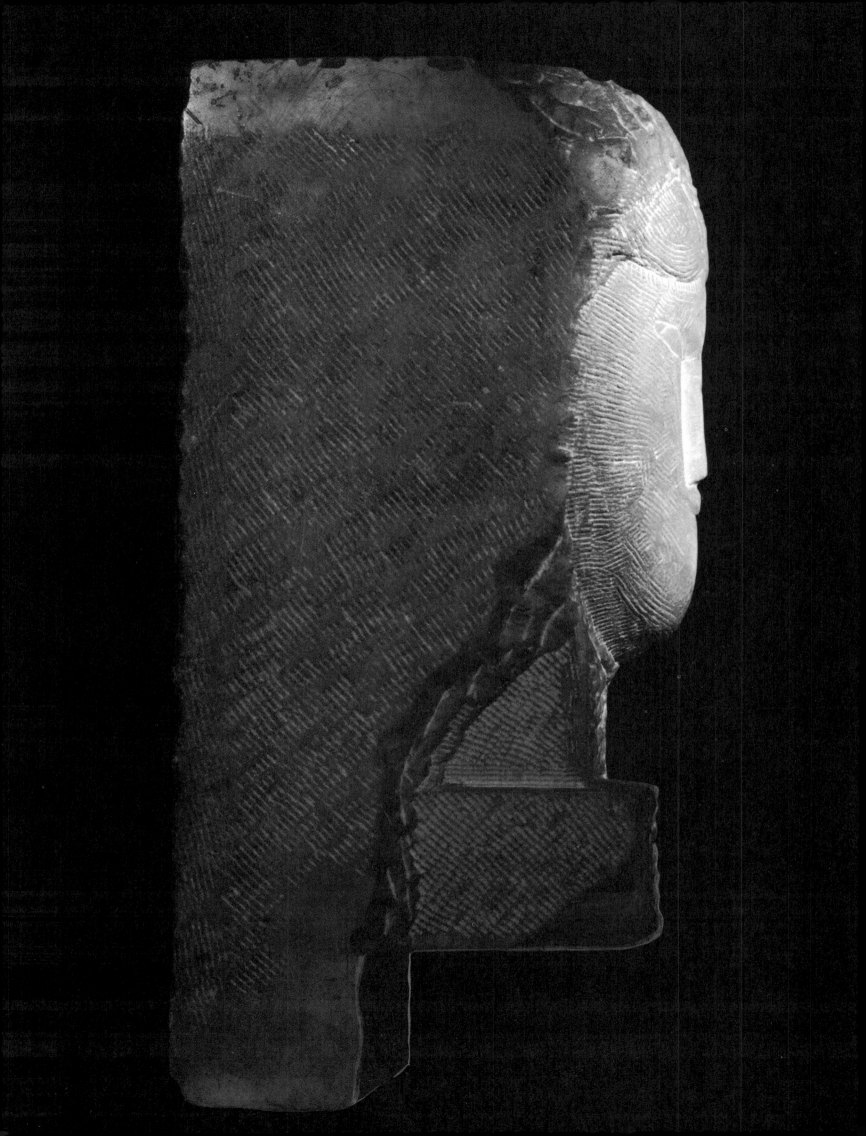

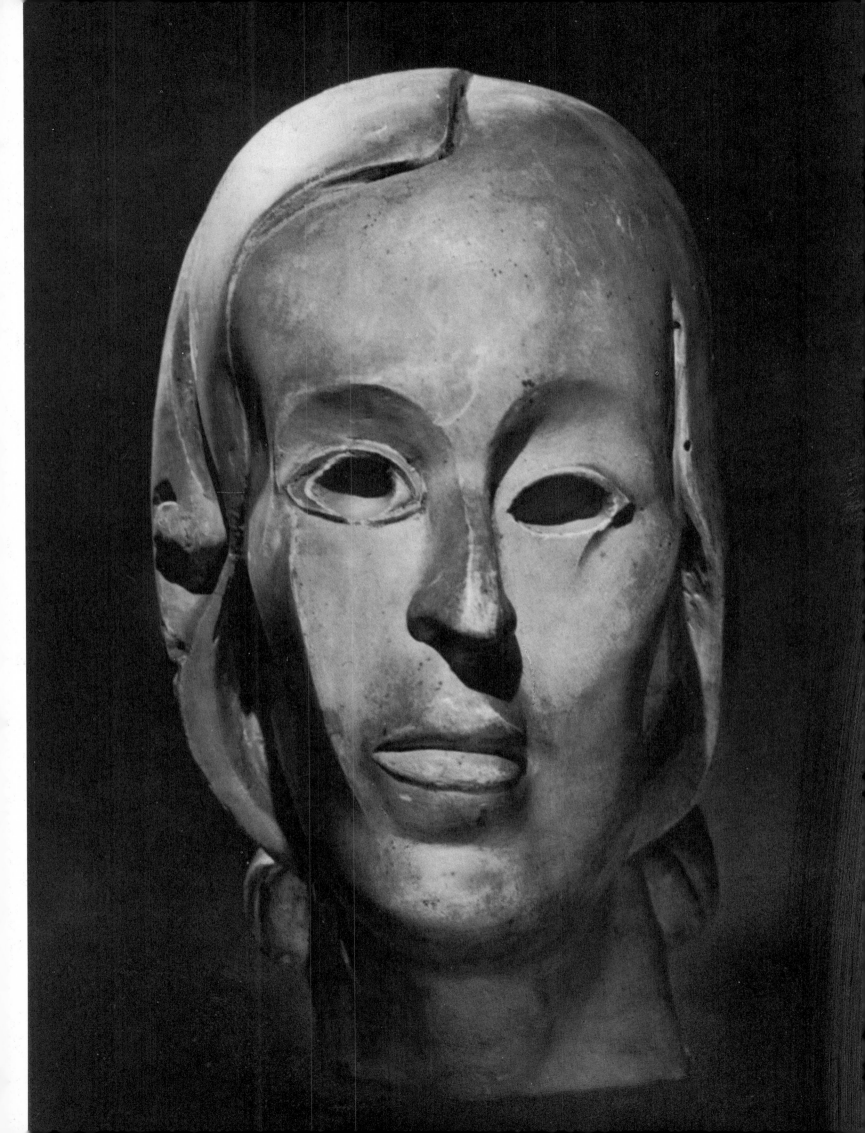

35

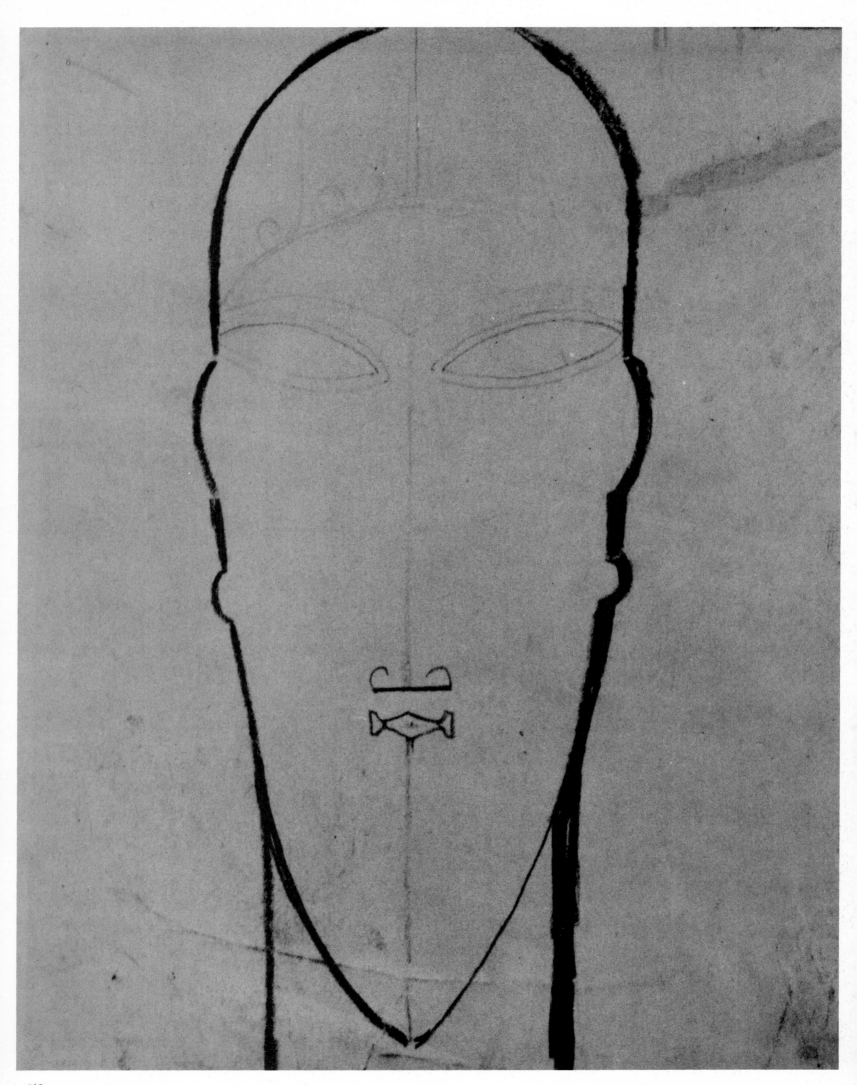

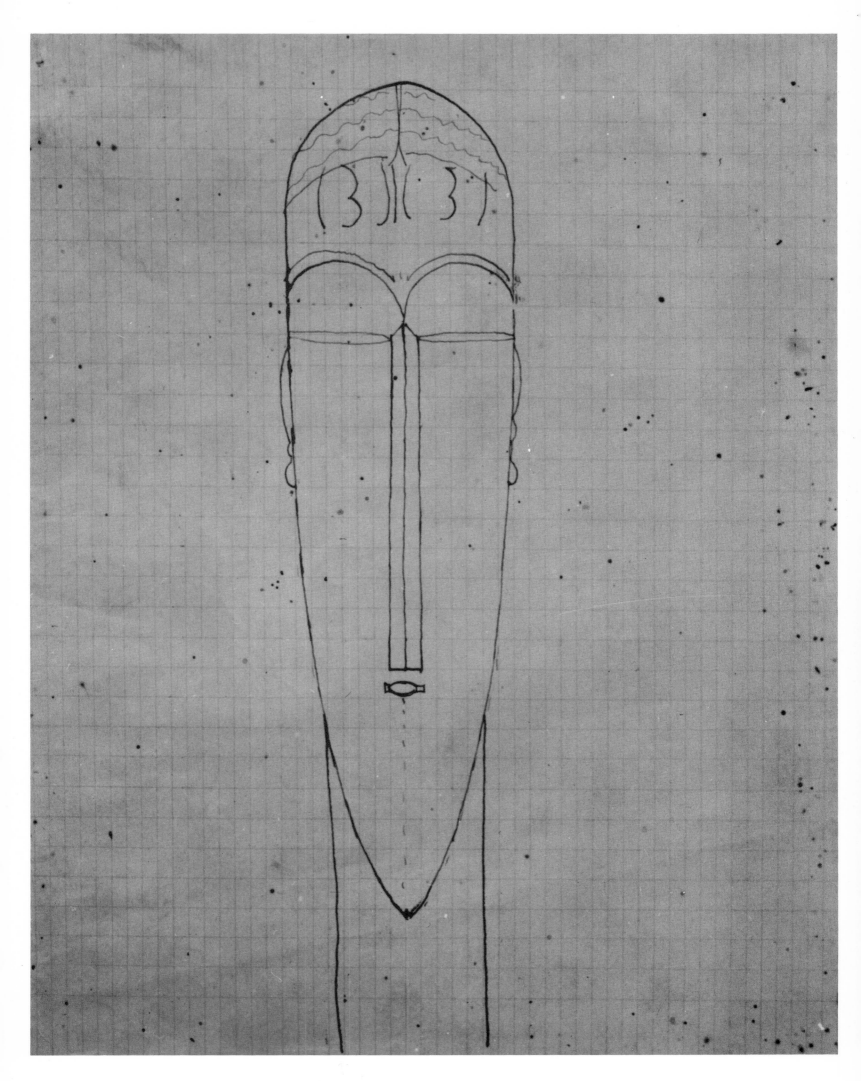

59

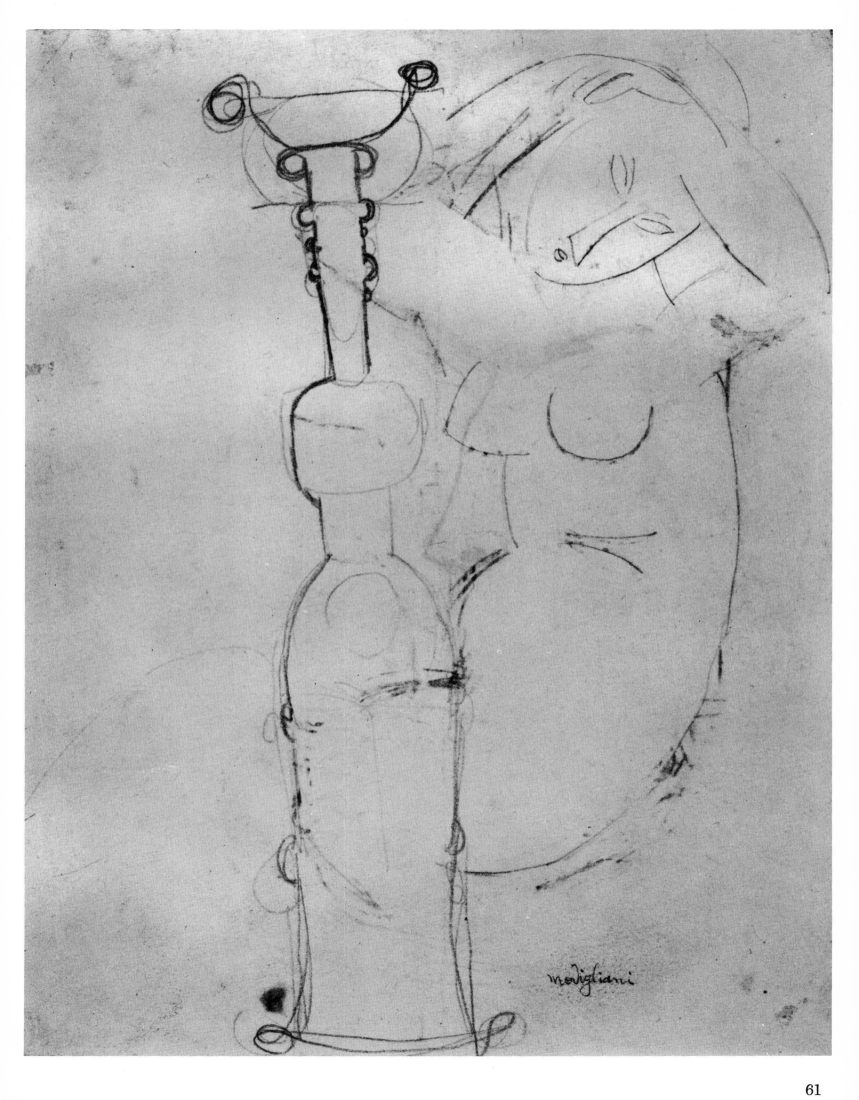

62

64

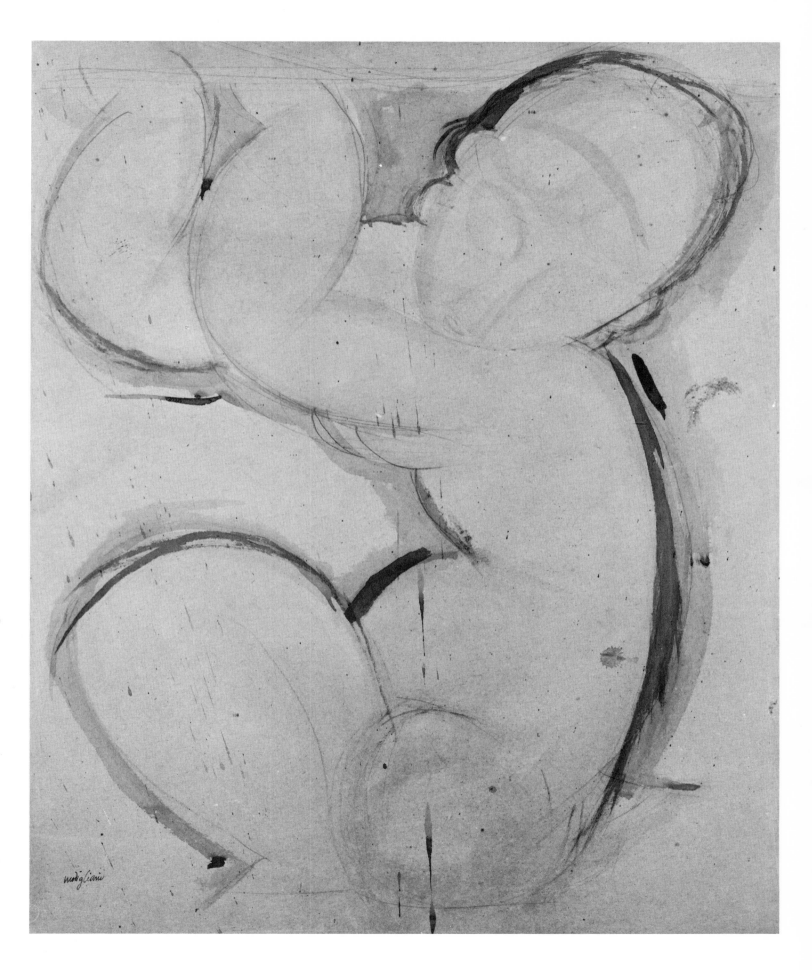

67

68

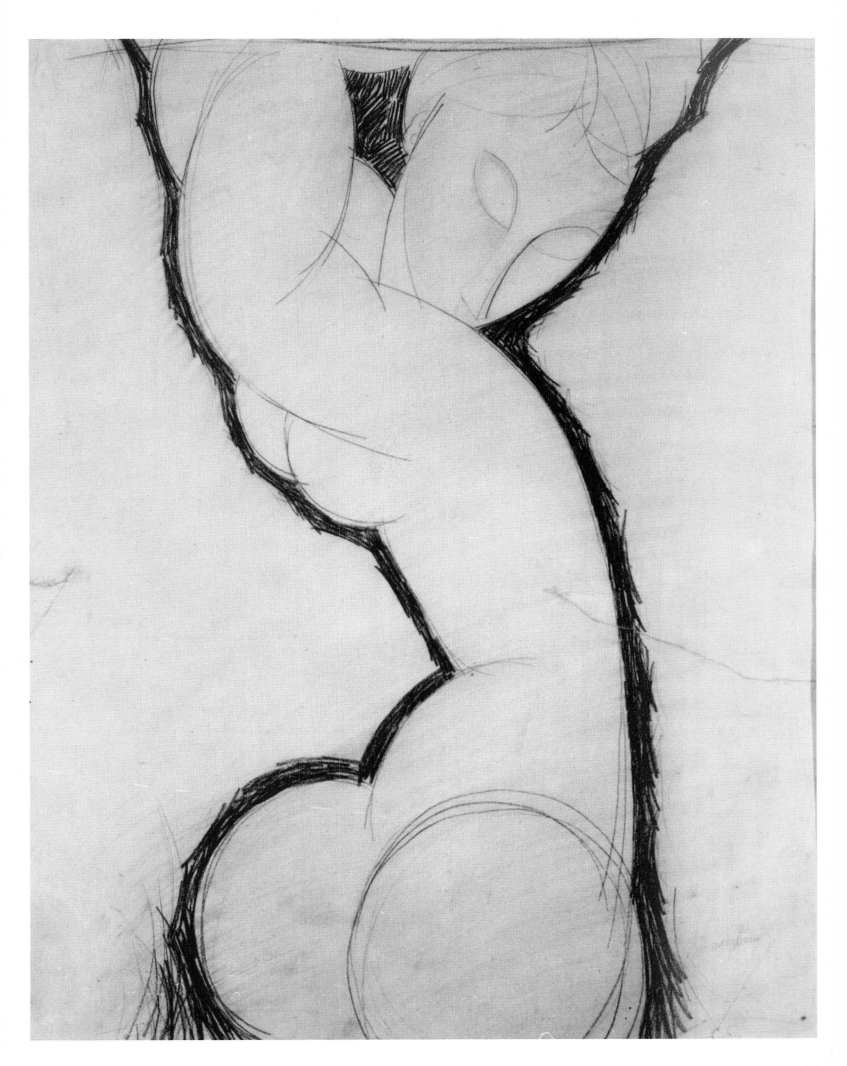

69

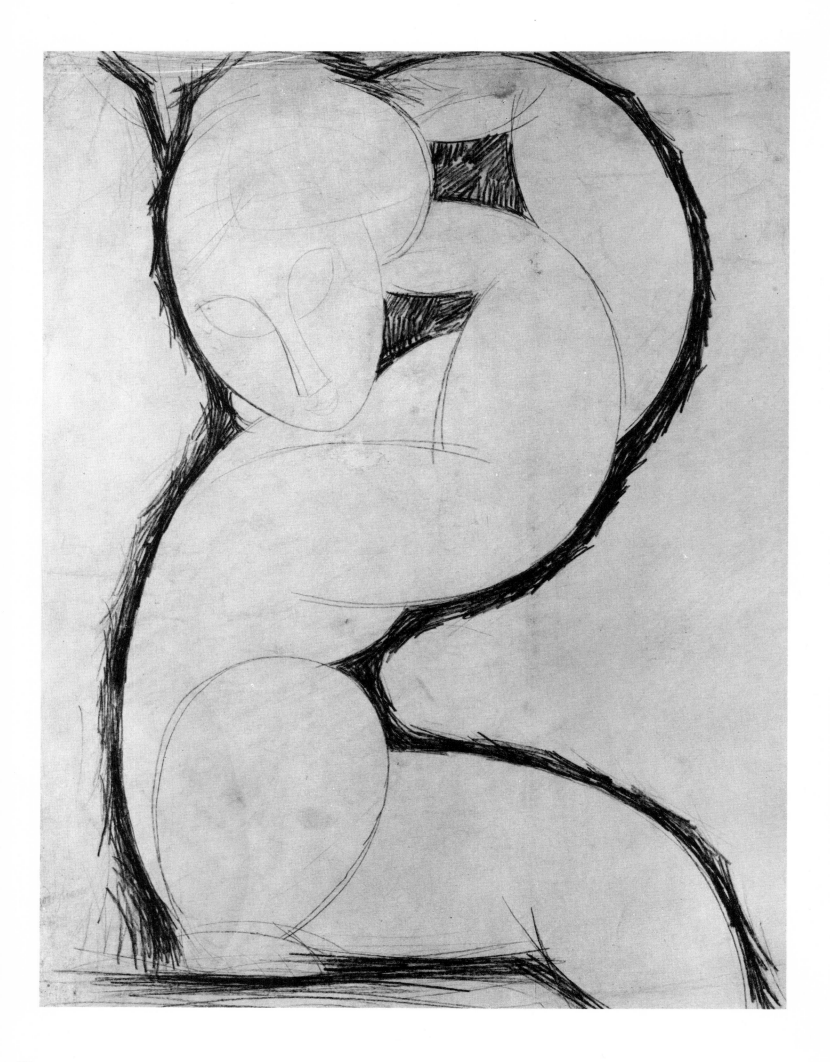

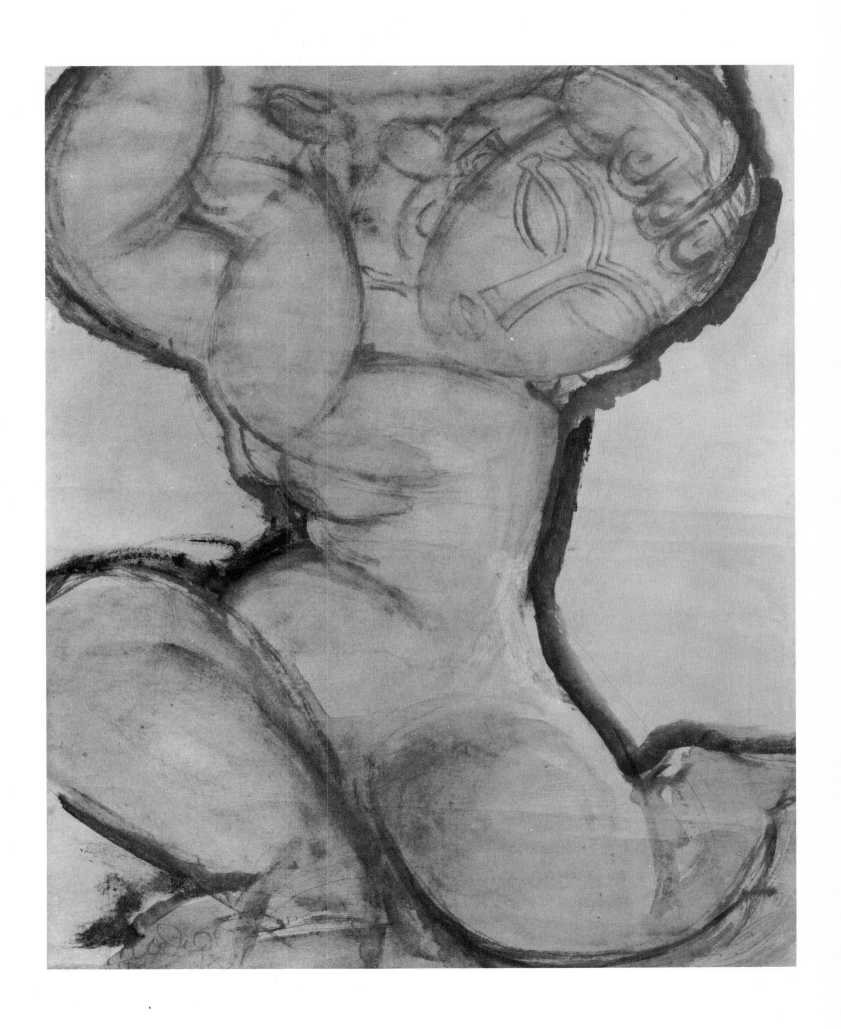

76

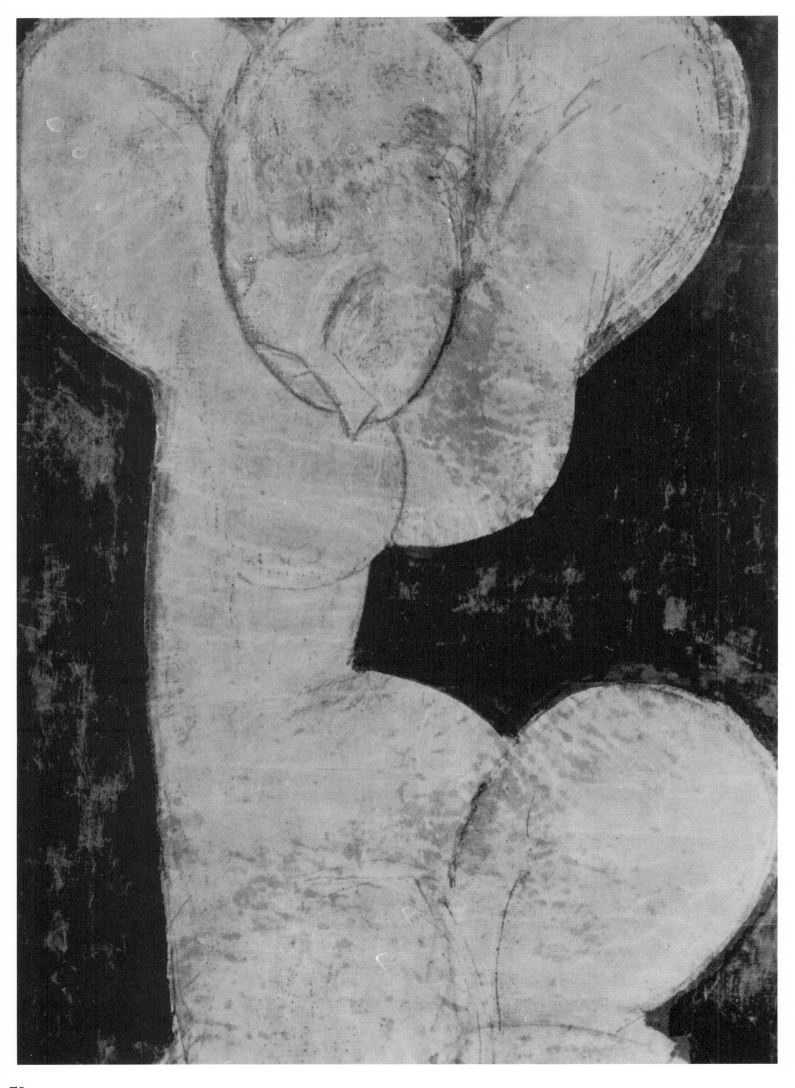

79

80

82

84